徐復觀教授著

中國經學史的基礎

臺靜農題

臺灣學生書局印行

自序

經學奠定中國文化的基型，因而也成爲中國文化發展的基線。中國文化的反省，應當追溯到中國經學的反省；第一步，便須有一部可資憑信的經學史。

經學史應由兩部份構成。一是經學的傳承，一是經學在各不同時代中所發現所承認的意義。已有的經學史著作，有傳承而無思想，等於有形骸而無血肉，已不足以窺見經學在歷史中的意義。即以傳承而論，因西漢已有門戶之爭，遂孳演而爲傳承之誤。東漢門戶之爭愈烈，傳承之謬愈增。後漢書儒林傳成篇於典籍散亂，學絕道喪之餘，其中頗有以影響之談，寫成歷史事實。經典釋文敍錄、隋書經籍志踵謬承訛，益增附會。及清代今文學家出，他們因除公羊傳外，更無完整之典籍可承，爲伸張門戶，爭取學術上之獨佔地位，遂對傳統中之所謂「古文」及「古學」，詆誣剽剟，必欲置之死地而後已，使後學有除今文學家的偏辭孤義外，更無可讀之古典的感覺。皮錫瑞承此末流，寫成經學通論及經學歷史兩書，逞矯誣臆斷之能，立隱逆理之術。廖平、康有爲更從而譸張羽翼之，遂使此文化大統糾葛紛擾，引發全面加以否定之局，我常引以爲恨。年來在寫兩漢思想史的歷程中，隨時留意此一問題。在董仲舒春秋繁露的研究一文中，對春秋公羊傳成立的情形及其本來面目作了深入的剖析。在原史一文中，對春秋左氏傳及穀梁傳也作了同樣的工作，尤以對左氏傳部份說得相當詳盡。一九七九年，寫成周官成立之時代及其思想性格一書，將此爭論兩千年之久的問題，作了徹底地清理，爲治中國古代官制史、思想史及研究古典的人，盡了一番摧陷廓清之勞。凡此也可以說是我爲了寫漢代經學史所作的準備工作。

一九八〇年五月初，發現胃部不適，飯食時常患哽噎，精神疲困，但還未檢查出是胃癌，我趕忙寫成先漢經學之形成一文，以先秦的資料證明經學非出於一人一時，而係周初以來，由周室之史，經孔子及孔子後學，作了長期選擇、編纂、闡述的努力，以作政治、人生教育之用的。這樣便把清代經學家們經學成於周公或成於孔子的謬執之見，加以澄清了。這篇文章，曾在同年八月臺北中央研究院召開的國際漢學會議中提出。適在此時，因精神更感不支，進臺大醫院檢查，才知道所得的是胃癌惡症。八月二十二日動了切除手術後，躺在病床上，十分痛苦，自知已經走到了人生的盡頭。老朋友們來看望時，我說：「已活了這麼大的年齡，應當死了；可惜我想寫的漢代經學史，竟沒有動筆的機會。」因爲這種冷門題目，我不動筆，當代更無人肯動筆的。老友胡秋原先生說：「你可以口述大綱，用錄音帶錄下，由你的學生整理。」實際，不僅動手術後，講話和動筆是同樣的困難，而且寫這類的文章，必須扣緊資料，資料不是能憑腦筋記得完全的。

今年三月底到美國休士頓小兒帥軍處住了兩個多月，一面在安德遜癌症中心進行檢查，同時每天勉強工作三、四小時，寫成西漢經學史的初稿。但初稿寫成後，發現寫得很亂，便於住在紐澤西女兒均琴家中，重寫第二次，經過兩個月才寫成。一篇文章寫兩次，這是過去所沒有的事。二次稿成後，寄給私立東海大學薛順雄教授，煩他的夫人爲我清繕並托薛君爲我重看一遍。這次把先漢經學的形成略加修改，和此文彙印在一起，僭稱爲中國經學史的基礎，由學生書局印行。我是無法寫成一部完整的經學史，假定我這裡的兩篇文章再加上春秋三傳的考查，能爲今後寫經學史的人提供一個新的出發點，便稍可減輕我在這一方面的責任感了。或者還要補寫一篇東漢經學史，假定沒有時間，則周官在東漢所引起的困擾，及後漢書儒林傳中所犯若干重大錯誤，我已在周官成立的時代及其思想性格和本文中加以澄清了，也無礙其爲「基礎」的意味。

爲了避免不必要的爭論，我把漢書儒林傳及藝文志中的六藝略和劉歆讓太常博士書的重要部份完全錄入，再加以疏通辯析。我知道這是很笨的方法，但也是流弊較少的方法。

這裡的兩篇文章，前一篇寫成於胃癌已經發作之際，後一篇寫成於胃癌手術後的療養之中，文字拙劣，論證謬誤的地方，更爲難免，我懇切希望能得到關心此一問題的學者們的敎正。一九八一年十二月十二日自序於九龍寓所。

校者按：徐復觀教授撰選寫此序文時，癌細胞已擴散到背部而痛苦不堪，草草成章，思於到臺大醫院治療後再行重寫，但入院後，病況更為惡化，無精神再寫文章，乃以此文為序言之定稿。

目錄

自序

先漢經學的形成

西漢經學史

附　錄

先漢經學的形成

經學是由詩書禮樂易春秋所構成的。它的基本性格，是古代長期政治、社會、人生的經驗積累，並經過整理、選擇、解釋，用作政治社會人生教育的基本敎材的。因而自漢以後，兩千年來，成爲中國學術的骨幹。它自身是在歷史中逐漸形成的。在形成的歷程中，孔子當然處於關鍵性的地位。但孔子並非形成的開始，也非形成的終結。「經學開闢時代，斷自孔子刪定六經爲始」之說（注一），在歷史中很難成立。至於說「周公成文武之德，適當帝全王備，殷因夏監，至於無可復加之際……斯乃所謂集大成者也。孔子有德無位，即無從得制作之權，不得列於一成，安有大成可集乎」之說（注二），尤爲鄙陋。以下試就經學由發端以至完成，作概略性的陳述。

一　周公及周室之史——經學的發端

周公是由「殷人尊神，率民以事神，先鬼而後禮」的宗教性很濃厚的文化，轉向「周人尊禮尙施，事鬼敬神而遠之，近人而忠焉」（注三）的人文性很濃厚的文化的關鍵性人物。我在原史一文中，說明他特別重視歷史的教訓（注四）。左昭二年，晉韓宣子聘於魯，「觀書於太史氏，見易象與魯春秋，曰，周禮盡在魯矣；吾乃今知周公之德與周之所以王也」。是易與魯春秋，與周公有關係。而「周公制周禮」（注五），幾乎成爲一種常識。周公曾自己作詩作書（注六）。作七月以陳王業之艱難，作鴟鴞以救亂。據國語周語，時邁棠棣兩詩，亦周公所作以明教戒。推而廣之，由周室之史所編的詩，都含有教戒的意義。周公作大誥是教誥「多邦」「御事」的。作康誥、酒誥、梓材，是教誥康叔的。作洛誥、無逸、立政，是教誥成王的。作多士多方，是教誥「商王士」及「四國多方」的。君奭是教勉召公奭共篤輔成王的。召誥是召公教誥成王的。推而廣之，周室之史，編成虞夏商諸篇，亦皆所以爲教戒之用。墨子天志篇中：「書於竹帛，鏤之金石，琢之槃盂，傳遺後世子孫曰，將何以爲？將以識夫愛人利人，順天之意，得天之賞者也」。這段話，是順着他自己的思想來說的；但由此可以了解，詩書的成立，其目的在由義理而來的教戒，並不在後世之所謂史。荀子天論篇：「傳曰，萬物之怪，書不說」。周初猶是神話盛行的時代；但將書與周書及穆天子傳相較，即可發現在書中所保存的神話最少。這卽可證明，爲了教戒的目的，在編纂時作了很大的選擇。當然，這些被選擇、編纂而遺留下來的教材，同時卽是歷史中的重要資料，並能給歷史以照明的作用；但就選擇、編纂的動機與目的言，這只能算是副次作用。所以章實齋六經皆史之說，歪曲了經之所以爲經的基本意義；把經的副次作用，代替了主要作用。

由上所述，可以把經學的歷史，追溯到周公；也可以把儒家的歷史，上推到周公。所以荀子儒效篇，便以周公和孔子，爲「大儒之效」作證。但經學的成立，是由詩書禮易春秋五種古典再加上樂（注七），爲其基本條件。詩書禮皆由史官所纂輯，保管。周公時代，距纂輯成書的時代尚早；易尚停留在純占筮的階段，且當時似乎尚未流行；春秋指的是孔子所修的，不是就周春秋魯春秋而言。所以就整個經學史說，周公尤其是周室之史，可以說是發端的「先河」，距「後海」的時間尚遠，何以能說是集大成？

二　春秋時代經學的發展

通過左傳國語看春秋時代，可以說是經學進入到成長的階段。左氏傳魯僖公二十七年，晉「作三軍，謀元帥。趙衰曰，郤穀可，臣亟聞其言矣，說（悅）禮樂而敦詩書。詩書，義之府也。禮樂，德之則也。德義，利之本也。夏書曰，賦納以言，明試以功，車服以庸，君其試之」。由此一故事，可以了解：（一）詩書禮樂，此時已連結成爲一組的名稱。（二）說詩書是義之府，禮樂是德（按指行爲而言）之則，詩書禮樂已與現實生活連結在一起，發揮着教戒的作用。（三）趙衰數聞郤穀之言，而所言者乃詩書禮樂，是此時的詩書禮樂，已成爲貴族間的基本教材。這三點，都是經學得以成立的基本條件。把詩書禮樂連成一組，正反映出這是出於在古代史料中所作的一種選擇。這種選擇，只能推測是出於周室史官之手。詩書的內容，爾後還有增加，也只能推測這是周室之史，繼續他們的編纂工作。

我在人性論史先秦篇中，曾爲春秋時代，特設一章，而稱之爲「以禮爲中心的人文世紀之出現」。禮樂詩三者，常作關連性的活動。所以通過左氏傳以觀察春秋時代的文化活動，可以總結爲是詩禮樂三者互相關連的活動。對於詩，除賦詩以外，引「詩云」的最少二十次（注八），引「詩曰」的最少七十七次（注九），引「詩所謂」者最少五次（注一〇），引「故詩曰」的最少八次（注一一）。當時的樂，主要是以詩爲主題，此觀於左襄二十九年，吳公子季扎「請觀於周樂」，而樂工所歌者皆爲周南以下之詩。國語魯語下魯叔孫穆聘晉時，述歌詩之所宜，亦皆與樂合在一起，即可證明。對於書，引「書曰」的最少十次（注一二），引「故書曰」的最少四次（注一三），引「夏書曰」的最少十一次（注一四），引「故夏書曰」的最少三次（注一五），引「商書曰」的最少四次（注一六），引「商書所謂惡之易也」一次（注一七），引「仲虺之志」者一次（注一八），引太誓者兩次（注一九），言及康誥及蔡仲命書者各一次（注二〇）。有些是先引詩而接着引書；有些是先引書而接着引詩，即是詩書同時並引（注二一）。這種引用，常在兩相對答之間。由此可知當時貴族對詩書的熟練。我所根據的索引，非常疏略，只有漏列而無溢出。我只想借此反映出當時詩書所發生作用的概略面影，較漢代實有過之而無不及。

西周當然已有占筮，並且已將卦辭爻辭，編纂在一起。但除洪範中曾卜筮並提外，在文物中並不多見，甚至還沒有發現。據左氏傳，春秋時代，由魯莊公十二年追記陳敬仲出生時，「周史有以周易見陳侯者，陳侯使筮之」起，大約一共記載十九次有關周易的事情(注二二)。以周易爲筮，除僖十五年秦係由卜徒父執行外，餘皆屬於史的職守。因史的文化水準較卜人爲高，故史對卦辭的解釋，已較卜人對卜兆的解釋，含有較多的合理性。其中特別值得注意的是，周易不僅由史所主管，而且也成爲賢士大夫教養之資。左昭十二年，衞「南蒯枚筮之，遇坤之比（按指爻的六五）曰，黃裳元吉，以爲大吉也，示子服惠伯曰，卽欲有事，何如？惠伯曰，吾嘗學此矣。忠信之事則可，不然必敗……」。子服惠伯非史職而曾學易，因而對易作了合理的解釋，則其他士大夫中亦必有學易的，因而推進了易的理論水準。所以左宣公十二年，晉知莊子引周易師卦的「師出以律，否臧凶」，而斷「此師（晉師）殆哉？」這種判斷是根據周易中的合理性所作的判斷。而左襄九年記魯穆姜對隨卦「元亨利貞無咎」的解釋，被後來乾文言作者所採用；由此可知穆姜亦深於易。左襄二十八年記鄭子展引周易「在復之頤，迷復凶」，以論「楚子將死」。左昭元年記秦醫和引「在周易，女惑男，風落山，謂之蠱」，以論晉侯之疾；這都可反映出易在當時教養上所發生的作用，是相當廣泛的。

國語中所反映出的以禮、樂、詩互相關連的活動，正與左氏傳相呼應。其中引用詩的很多，此處未作統計。其中最值得注意的，是周語「穆王將伐犬戎」，在祭公謀父的諫辭中，引有被認爲周文公（周公）所作的周頌時邁。厲王說（悅）榮夷公，在芮良夫嘆「王室其將卑乎」裏面，引有被認爲周文公所作的周頌思文，及大雅的文王，這證明西周已開始以詩爲教。魯語下「魯大夫閔馬父戒子服伯之慢曰，昔正考父校商之名頌十二篇於周太師，以那爲首」的一段話，證明商頌之出於殷，可以改正史記宋世家之誤。魯語下魯「叔孫穆子聘於晉」，論樂與歌，各有所宜，可以窺見詩與樂在朝聘中的分際。晉語四，載齊姜勸晉公子重耳不可安於齊的一段話中，引有大雅大明之七，小雅皇皇者華的首章，及「西方之書，（韋注「西方謂周詩」）云，誰將西歸……」，鄭風將仲子之卒章，和管敬仲之言，與「瞽史之記」。（董因答公子重耳「吾其濟乎」之問，亦引有「瞽史記」）。由此可以反映出當時貴族婦女所受教養之高。楚語上申叔時答士亹傅太子之方，歷舉出春秋（按此殆指楚之檮杌而言）、世（韋注「先王之世繫」）、詩、禮、樂、令、語、故志、訓典九種教材，並簡切指出各教材在教育上之意義，由此可以反映出當時楚文化已可媲美於上國。國語中引書及與書之性格相類者凡十有二（注二三）。引詩與書之形式，與左氏傳完全相同。言及周易占筮的凡三見。一爲周語單襄公的「遇乾之否；二爲晉語晉公子重耳親筮之得「貞屯悔豫」；三爲晉語董因（史角之後）的「得泰之八」。解釋的方法與左氏傳中所用的完全相同。齊語主要述齊桓管仲之事，言及禮義及其他德目，而未及詩書。吳語越語中，未嘗涉及詩書；這說明此兩國通上國之日淺，尙未漸漬於詩書之敎。由此亦可反映出其他有關紀錄是可以信任的。

總結上面所述，由左氏傳國語所表現的春秋時代，詩書禮樂及易，成爲貴族階層的重要敎材；且在解釋上，亦開始由特殊的意義進而開闢向一般的意義；由神秘的氣氛，進而開闢向合理的氣氛；這是經學之所以爲經學的重大發展。但詩書的編纂，要到春秋中葉始告完成；而孔子所修的春秋，乃成於春秋之末。易的十翼，更遲在孔子以後。所以這依然是經學形成中的一個重要歷程。

三　孔子及孔門——經學基礎的奠定

孔子生當春秋末期（前五五一——前四七九），對古代文化，包括春秋時代貴族間的文化，作了總結、闡述、提高的工作。就經學而論，孔子刪詩刪書的說法是難於置信的。但他在下述三點上，給了經學以決定性的基礎。

第一，他把貴族手上的文化及文化資料，通過他的「學不厭，敎不倦」的精神，旣修之於己，且擴大之於來自社會各階層的三千弟子，成爲眞正的文化搖籃，以宏揚於天下，成爲爾後兩千多年中國學統的骨幹。論語載「子所雅言，詩書執禮」（注二四）；樂附麗於詩禮，所以史記孔子世家便說孔子「以詩書禮樂教」。能使貴族的物質生活普及於平民，這是平民物質生活的大進步。同樣地，能把貴族的文化教養普及於平民，這是平民精神生活的大進步。第二，孔子說「興於詩，立於禮，成於樂」（注二五），把詩禮樂當作人生教養進昇中的歷程，這是來自實踐成熟後的深刻反省，所達到的有機體的有秩序的統一。此時的詩禮樂，成爲一個人格昇進的精神層級的複合體。卽此一端，便遠遠超越了春秋時代一般賢士大夫所能達到的水準。第三，從論語看，他對詩書禮樂及易，作了整理和價值轉換的工作，因而，注入了新的內容，使春秋時代所開闢出的價值，得到提高、昇華，因而也形成了比較確定的內容與形式。孔子說「吾自衞反魯，然後樂正，雅頌各得其所」（注二六）、恢復以樂配詩的原有的合理狀態，這卽反映出他對詩所作的重要整理工作。由詩在春秋時代的盛行，詩對人生所發生的功用，當然當時的賢士大夫已經感受到。但一直到孔子「詩可以興，可以觀，可以羣，可以怨，邇之事父，遠之事君，多識於草木鳥獸之名」的提出（注二七），詩對人生社會政治的功用，才完全顯現出來。詩的所以有此功用，乃來自詩得以成立的由個體感情通向羣體感情的激動。興觀羣怨的功能的陳述，卽是詩的本質的陳述；這是一針到底的對詩的把握，用現代語來表達，這是對詩的深純徹底的批評。

詩的本質是永恆的，孔子對詩的批評也是永恆的。

論語上只有兩處直接提到書（注二八），在今天看來，這兩處所提的都不算重要。惟或人「子奚不爲政」之問，實難以對答之問。而孔子隨口援書以爲自己作解釋，由此可知他對書的熟練。最重要的是：孔子把整部書中的人與事加以消化，吸其精英，明其義蘊，由此以抽出政治上最高的若干原則，及最大的鑑戒；並由此而指出歷史演變的規律，形成他晚年作春秋的動機與是非褒貶的準據。這便超越了春秋時代賢士大夫一枝一節的援引論述的層次，把書的價值昇華到新的水準。下面孔子的話，只能解釋爲從書中得出來的：

1.子曰：「巍巍乎，舜禹之有天下也而不與焉。」（泰伯）

2.子曰：「大哉堯之爲君也。巍巍乎唯天爲大，唯堯則之。蕩蕩乎民無能名焉。巍巍乎其成功也，煥乎其有文章。」（同上）

3.舜有臣五人而天下治。武王曰：予有亂臣十人。孔子曰：「才難，不其然乎，唐虞之際，於斯爲盛，有婦人焉，九人而已。三分天下有其二，以服事殷，周之德，其可謂至德也已矣。」（同上）

4.子曰：「禹，吾無間然矣。非飲食，而致孝乎鬼神。惡衣服，而致美乎黻冕。卑宮室，而盡力

乎溝洫。禹，吾無間然矣。」（同上）

5.子曰：「無爲而治者，其舜也與！夫何爲哉，恭己正南面而已矣。」（衞靈公）

上面「予有亂臣十人」，見於左昭二十五年，萇弘所引的大誓；其他的話，離開了書，更找不出來源。孔子從書所得的政治原則，是（1）與（2）的天下爲公。（1）的「而不與焉」，說的是不以天下爲己有。（2）的「唯堯則之」，是說堯法天生萬物而無私。這些話，是從堯典舜典大禹謨（注二九）中的用人行政及政權移轉的情形所得出來的。用人能否得當，對治亂有決定性的意義，所以（3）便特別提出唐虞及武王得人的情形。（4）則稱讚禹個人生活的刻苦，但對鬼神、黻冕、溝洫等政治上的大事，無不竭心盡力。（5）與（3）應關連在一起來了解。因爲舜以天下爲公，又有臣五人，所以他可以無爲而治。總結上述三點，可以說是孔子從書中所抽出的政治上的最高原則。「微子去之，箕子爲之奴，比干諫而死，子曰，殷有三仁焉」；此亦根據商書而發明三人之行跡不同，但其憂宗國，愛人民之心，並無不同，所以皆許之以仁。蓋當淫昏之主，陷國家於危亡之際，人臣所執之節，非可拘以一端，以見在權變中各有所當。這種論人的態度，與宋代理學家大有出入，更與後來以忠於一人的「忠君」思想大有逕庭。尤其重要的是論語最後的堯曰章，歷二千年，無人能了解這是孔子從書中所得出的在歷史演變中，世運興亡的大規律；平日曾不斷把表現這種大規律的故事提出來告訴門弟子，門弟子所以特別記錄下來，以作論語所指向的歸結。玆將原文分錄於後，並加以簡單解釋。

「堯曰：咨爾舜，天之歷數在爾躬。允執其中。四海困窮，天祿永終。舜亦以命禹。」

簡朝亮論語集注補正述疏（注三〇），「或曰，此其爲書舜典之文歟？今舜典亡，無由稽也。然其爲書辭，則無疑矣」。此爲堯傳天下於舜，而加以戒勉之辭。簡氏謂「曆卽堯典曆象之曆。蓋曆象以紀天。而天之曆數，以天子卽位之年紀之。今傳位而紀年，則天之曆數在遞傳者之身矣」。中庸「子曰，舜其大知也與！舜好問，而好察邇言，隱惡而揚善，執其兩端，用其中於民，其斯以爲舜乎。」這段話，卽是發明此處「允執其中」的意義；也可以說，這是孔子中庸思想之所自出。由今日中國現實上，人民在左與右中顚倒而無所托命的情形看，便應當承認「允執其中」，亦卽是「執其兩端（社會上本有利害是非，互相對立之兩端），用其中於民」（「中」由「兩端」而見。不能執其兩端，卽不知何者爲「中」）的政治方向，是永恆的眞理（注三一）。「四海」卽是「天下」，卽是天下的人民。統治者是對人民生活負責的。假定人民生活陷於困窮之中，則統治者成爲人民的敵人，所以「四海之人困窮，則君祿亦永絕矣」（注三二）。這卽是很明顯地指出：人民的生活，是政治得失的眞實考驗；當然卽是統治者運命的決定點。因爲堯所說的是政治方向的永恆眞理，所以「舜亦以命禹」。

「曰，予小子履，敢用玄牡，敢昭告於皇皇后帝，有罪不敢赦。帝臣不蔽，簡在帝心。朕躬有罪，無以萬方。萬方有罪，罪在朕躬。」

按上面一段話，爲僞古文湯誥所採入，遂以此爲「湯既放桀而告諸侯」（注三三）之辭。幸墨子兼愛篇所引湯說，文字稍有出入，內容完全相同；則知此處所引者乃出於書的湯說。湯說：「惟予小人履，敢用玄牡，敢昭告於上天后曰，今天大旱，卽當朕躬……」是此爲湯禱雨告天之辭。這段話的意義是在國家遇有重大災難時，統治者應將招致災難的原因（罪），求之於一己，以一己的犧牲來加以承當，而不可把災難的責任，推到人民身上。這是能渡過災難，克服災難的基本條件。此與今日落後地區的大小獨裁者，經常是「朕躬神聖，罪在萬方」的情形，恰成一顯明的對照。

「周有大賚，善人是富。雖有周親，不如仁人。百姓有過，在予一人。」

簡朝亮論語集注補正述疏謂「謹案此書辭也……此於書今亡矣。墨子、說苑、列女傳，猶有考焉……此言武王所以克商有天下也」。「說苑君道篇云，書曰，百姓有過，在予一人……與韓詩外傳同。列女傳言辯通者亦有此文，則稱昔者周武王有言曰而引之。蓋逸古文十六篇，劉向校焉。其所見書，不惟今文二十九篇也。墨子兼愛篇云，昔者武王將事泰山隧，傳曰……雖周親，不若仁人。萬方有罪，維予一人……由三者而參觀之，則此爲書辭。古者書亦稱傳焉。」此段與前引各文相參，意義明顯，不須另外解釋。

綜上所述，則孔子的深於書教，更無可疑。

禮是規範貴族各種行爲的合理形式，即是所謂「儀」。這本是適應以宗法爲骨幹的封建政治的要求而建立而發展、積累起來，並由周室之史所掌管，隨周室勢力的擴大，而得到共同承認的。流傳到今天的儀禮十七篇，還有出於孔壁，多出的三十九篇，即是這種性質。這一套行爲的形式，需要士以上的身份及與身分相稱的財富，始能實行。禮記曲禮說「禮不下（及於）庶人」，是因爲庶人不能具備行禮的條件。孔子說：「夏禮吾能言之（能言其義），杞（夏之後）不足徵也。殷禮吾能言之，宋（殷之後）不足徵也。文（典籍）獻（賢人）不足故也。足則吾能徵之矣」（注三四）。由此可知孔子重視禮，並重視禮要由文獻得到證明（徵），則他也必重視具體的行爲形式的儀。所以有「子入太廟，每事問」的記載（注三五）。又說「周監於二代，郁郁乎文哉，吾從周」（注三六）。可見他的「執禮」，是執周代之禮。由孔子奠基的儒者，在先秦常給人以特殊的形相，正是由「執禮」，「立於禮」而來（注三七）。禮記雜記「恤由之喪，哀公使孺悲之孔子，學士喪禮，士喪禮於是乎書」。可知今日儀禮中的士喪禮，是因孔子而重著於竹帛的。由此也可以推測，儀禮逸禮，是經過孔子而傳承下來的。

但孔子與禮的關係，主要在透過形式以發現形式中所含的價值，再反過來以價值評定其形式的得失，由此以作禮的精神轉換，由此轉換而使「不下庶人」的禮，成爲萬人萬世行爲規範之禮。

周禮的基本構造，是在「尊尊」與「親親」的兩個含有矛盾性的基本要求下取得諧和，使上下之間，除了尊尊的權勢支配關係外，還有由親親而來的互相親愛的感情，給權勢以制約，這便使封建政治內，含有一部份合理性。此一部份的合理性，在春秋時代得到發展，把禮的合理面不斷顯發出來，以突破封建的限制，並因而突破膠固化的形式的限制。玆將有關材料簡錄於下：

1. 左桓二年晉師服謂「夫名以制義，義以出禮」。
2. 左僖十一年周內史過謂「禮，國之幹也；敬，禮之輿也。不敬則禮不行」。
3. 左僖三十三年晉臼季謂「敬，德之聚也。能敬必有德……出門如賓，承事如敬，仁之則也」。
4. 左成十三年魯孟獻子謂「禮，身之幹也；敬，身之基也」。
5. 左成二年晉叔向謂「忠信，禮之器也；卑讓，禮之宗也」。
6. 左成十五年楚申叔時謂「信以守禮，禮以庇身」（左僖二十八年曹伯之豎侯獳亦有此言）。
7. 左昭十六年，晉文叔齊答晉侯「魯侯不亦善於禮乎」之問謂「是儀也，不可謂禮。禮所以守其國，行其政令，無失其民者也。今政令在家，不能取也。有子家羈，弗能用也……」
8. 左昭二十五年魯叔孫婼謂「君子貴其身而後能及人，是以有禮」。
9. 左昭二十五年鄭子大叔答晉趙簡子「問揖讓周旋之禮」謂「是儀也，非禮也……夫禮，天之經也，地之義也，民之行也……」。

10.左昭二十六年齊晏子答齊侯謂「禮之可以爲國也久矣，與天地並。君令、臣共；父慈、子孝；兄愛、弟敬；夫和、婦柔；姑慈、婦聽；禮也……先王所禀於天地以爲其民也」。

上面1的「義以出禮」，這是孔子「義以爲質，禮以行之」(注三八)，之所自出。義者事之宜，利之和，其基本意義可通於封建政治之內，亦可通於封建政治之外。以義爲禮之所自出，以禮爲實現義的形式，由此而把禮義連結在一起，便使由禮之形式而來的凝固性得到開放，而出現「禮時爲大」(注三九)的觀念，使禮可適應時代的需要而發展。周初特由周公提出「敬」、「敬德」的要求(注四〇)，但尚未與禮連結在一起。2「敬，禮之輿也」，把禮中所含的敬的意義，特別顯了出來，3、4中所言的敬，較2所言的，其應用範圍較廣。這到了孔子特別得到發展。孔子反對「爲禮不敬」(注四一)，這是切就行禮時說的。但他強調「執事敬」(注四二)，「修己以敬」(注四三)，「行篤敬」(注四四)，這便把禮中所含的敬的精神，普及於一般生活行爲之上。3的「出門如賓，承事如敬，仁之則也」，把敬與仁連結在一起，這要到孔子答仲弓問仁，謂「出門如見大賓，使民如承大祭；已所不欲，勿施於人；在邦無怨，在家無怨」(注四五)，才把意義說得比較完全。5、6把忠信與禮連結在一起，到了孔子，把它作爲一般立身的原則，而三次強調「主忠信」(注四六)，「忠信」連辭而加以主張者三(注四七)。單獨強調信的更多，以「人而無信，不知其可也」（注四八），及「民無（不）信不立」（注四九），在人生與政治上最有概括性。6所提出禮的卑讓精神，這是使政治社會得到安定的重大因素，所以孔子特稱泰伯「三以天下讓」爲「至德」（注五〇），又稱「三分天下有其二，以服事殷」，爲周的「至德」（注五一）。

「制體」，是根據某種義來制定行爲的「儀」，禮與儀本是不可分的。但儀一經制定後便固定化，於是儀可以與義相應，也可以不與義相應；而行禮的人，有的了解儀後面的義，有的則並不了解。春秋時代正是封建貴族間禮儀盛行的時代。但經過若干賢士大夫，特別把禮中包含的敬、忠信、卑讓乃至7中的用賢等等，即是可用一個「義」字加以概括的等等，特別加以發揮，使隱而不彰之義得以彰；甚至使本爲制禮時所沒有的義，得因創發而使其有，這樣便有三種新的發展。一爲7與9的禮與儀的分別，認定儀並不足以代表禮。二爲9的「民之行也」，使禮不受儀的拘限而下逮於庶人。三爲禮由適應人君的要求而轉過來爲適應於人民的要求。出現10的禮「以爲其民」的思想。總結一句，春秋時代，是封建政治由盛而衰而解體的時代；禮在春秋時代的發展，是由封建性格，向一般的人生規範發展的性格。也即是8的「貴其身」並「能及人」，使人我能完成人格尊嚴的性格。這是由封建脫胎換骨出來的性格。孔子正是繼承此種性格而更向前發展的。

首先應指出的：孔子也是把禮與儀加以區別，並對由封建貴族間所發展出的儀要加以素樸化，由此以顯其精神，並賦與以廣大的社會性。他說「禮云禮云，玉帛云乎哉。樂云樂云，鐘鼓云乎哉」（論語陽貨）；這卽認定禮樂不僅是由形式（儀）可以表現，一定要追求儀後面的精神。當林放向他問「禮之本」時，他稱讚說「大哉問！禮與其奢也，寧儉；喪與易（禮儀很完備之意）也，寧戚」（論語八佾）。他說「先進於禮樂，野人也。後進於禮樂，君子也。如用之，則吾從先進」（論語先進）。喪禮最爲繁複，但孔子主張「稱家之有無」（注五二）。所以子思說「吾聞之，有其禮，無其財，君子弗行也」（注五三）。這卽是重禮之本而不爲儀所拘的一例。

其次，孔子由對禮的恭敬的精神的把握，把禮與仁融合在一起，並以禮爲實現仁的工夫。論語上的「仁」，就我的研究，是「道德地自覺向上的精神」（注五四）。「愛人」是此種精神所發的作用。他說「人而不仁，如禮何？人而不仁，如樂何」（論語八佾），這是指當時統治者魚肉人民，卻以僅具形式的禮樂作文飾者而言。以見決定人的價值是仁而不是禮。但從禮中掌握住敬的精神，卽是掌握住收斂一般欲望，以嚴肅而集中的態度對應生活與行爲時，則禮又成爲實現仁的工夫，並成爲仁在生命、生活、行爲中的表現。此時的禮，自然擺脫它得以成立的歷史條件的拘限，而成爲人類普遍理性表現的形式。「顏淵問仁，子曰，克己復禮爲仁」（論語顏淵）；「復」是「反復不已」，「復禮」卽是反復持守禮的敬的精神，這與「克己」是有內在關連的。此處的「復禮」，與孔子答「樊遲問仁」

時所說的「居處恭，執事敬，與人忠；雖之夷狄，不可廢也」（論語子路）的意思是一樣的，此時連禮的具體形式，亦卽所謂儀，也擺脫了。由此而「達於禮樂之原」，行「無聲之樂，無體之禮，無服之喪」；「日就月將」以成己；「施及四海」以成物（注五五），此時的禮，乃「生命的理性化」，「理性的生命化」；與西方抽象地理性，恰成一實一虛的對照。而今人一言及孔門的禮，立刻膠固到封建上去，抑何可笑。

對現實政治，孔子所言的禮，也直接突破了封建政治的枷鎖。封建政治的最基本特色，是「身分」制度，「血緣」制度；貴族的子孫生而卽貴，平民的子孫終生皆賤，這是不能以人力加以變更的。儀禮士冠禮後面，錄孔子解釋之言（注五六）中有謂「天子之元子猶士也。天下無生而貴者也」。這卽把封建的身份制度完全否定了。春秋隱公三年公羊傳，「世卿，非禮也」。以世卿爲非禮，卽是否定封建政治中由身份制度而來的世卿之禮。「君子」「小人」，本是封建社會中貴賤之稱，論語中也有沿用的；但最大部份則摒棄政治上的貴賤觀念，以有德無德爲基準，這便把封建中的身份制度都翻轉過來了（注五七）。應了解孔子對禮在歷史演進與保存的具體條件下（注五八），他不能不「從周」，這是一個起點，否則徒爲掛空之論。但他在從周的起點上，層層深入，而把「郁郁乎文哉」的「文」，作了價值的大轉換，作了價值的大昇華，以達到前面所說的無體之禮。今人卻一口咬定孔子的從周，卽是孔子的封建，這不是出自對中國文化的惡毒動機，卽是出自對中國文化的了解過於淺薄。

從大小戴記看，孔門對禮的傳承、研究，較其他經爲特盛，時間亦最長。大小戴記中有的是出於漢初儒者之手，但也是有所傳承。兩記，尤其是小戴的禮記，內容的豐富，可以說直到現在，還是一座未被開發的寶藏。

在我著的中國藝術精神的第一章；寫的卽是「由音樂探索孔子的藝術精神」。在這一章的第二節中首先就史記孔子世家所述「孔子學琴於師襄」的故事，指出他對音樂的學習，「是要由技術以深入於技術後面的精神，更進而要把握到此精神具有者的具體人格」。由論語憲問篇「子擊磬於衞」的故事，可以推知他的人格是與磬聲融爲一體的。更就論語上的材料，可以反映出他對樂是「隨地得師，終身學習不倦」，並對當時的樂人，「不斷有交往」，寄與以莫大的關心。而對音樂的欣賞，實高出於當時樂人之上（注五九）。「且對音樂曾作了一番重要的整理工作」，此由「吾自衞反魯，然後樂正，雅頌各得其所」（子罕）的話而可見。所以禮記中的樂記，荀子中的樂論，都係傳承孔子的樂教。第四節說明孔子對樂所追求的是「美與善的統一」。「中與和，是孔門對樂所要求的美的標準。在中與和後面，便蘊有善的意味，便足以感動人之善心」。而其最高境界，便是「仁與樂的統一」；所以第五節，便專論證這一點。這裏只補充說明：孔子除排斥當時的鄭聲外，樂以音律而見，其本身不似禮由儀文而見的夾雜有許多歷史渣滓，所以孔子對於禮，不能不作理智的檢別，而對於樂，常表現爲全生命的投入。樂之最高境界，是由孔子的最高人格而見；樂在最高人格形成中有陶養之功，同時卽成爲與仁融和爲一體，成爲最高人格的具體存在。樂的自身只是鏗鏘之節，但卽使漢初制氏所紀的鏗鏘鼓舞，眞爲先王的雅樂，卻未經過人格精神的凝注、融和，便根本無所謂義，當然「不能言其義」(注六〇)。樂在鏗鏘鼓舞以外，無所謂經；而僅有鏗鏘鼓舞，又何足以稱經。所以經學中的樂，在孔子後卽無實踐上的意義，不是因爲樂經之亡，且不應在文獻上論樂經的存亡；而是因爲詩與樂的分離，更因爲沒有人像孔子那樣作生命的投入，在樂中透不出人格的存在。這便只有由俗樂、外樂取而代之了。

孔子晚而喜易(注六一)，十翼雖非孔子所親作，但它是出於孔子的易教，是無可置疑的。春秋時代，易流行於各國，大概只有卦辭爻辭，尚未以九、六、初、上等標明爻的性質及各爻的位置。以易爲筮，由各國史官所主管。秦無史官，最低限度，沒有出現過賢史(注六二)，所以他以卜人主筮，而其辭亦非今日所見的卦辭爻辭(注六三)。卦辭爻辭非一人所作(注六四)，乃出於占筮者之手。積累既多，乃由今日不能知道的史官加以選擇編纂，使其成爲定式，這大概是西周時代所完成的。其未被選擇的，春秋時代尚偶有遺存，有如當時的逸詩。卜徒父所擧的是一例。左成十六年晉「公筮之，史曰吉。其卦遇復曰，南國蹙，射其元王，中厥目」。此亦爲復卦的卦辭爻辭所未有，又是一例。注釋家有的以爲這是夏商的易，蓋爲周官三易之說所欺的原故。這裏值得注意的是：左氏傳中的筮，極少數用的是卦辭，絕對多數用的是爻辭，而上引兩例，似乎皆就一卦之象而言，可能尚未發展出爻辭；則這種逸辭，可能時代很早。

其次是晉多良史，其用筮亦較多，他們對繇辭的解釋，多與十翼中的卦象爻象及其他有關的解釋不合，甚至各國史官的解釋，也互相歧異。按晉書卷五十一束晳傳「初太康二年，汲郡人不準盜發魏襄王墓（注六五）或言安釐王冢，得竹書數十車……其易經二篇，與周易上下經同。易繇陰陽卦二篇，與周易略同，繇辭則異。卦下易經一篇，似說卦而異。公孫段二篇，公孫段與邵陟論易。國語三篇，言楚晉事。名三篇，似禮記，又似爾雅論語。師春一篇，書左傳諸卜筮，師春似是造書者姓名也。」左氏傳中除上引秦卜徒父及晉成十六年晉史「其卦遇復」兩例外，其他繇辭，並與今日通行之易相同。則所謂「繇辭則異」者，殆指釋卦爻辭之象而言。又杜預春秋左氏經傳集解後序，言及汲冢書情形中有謂「周易上下篇，與今正同，別有陰陽說而無彖象文言繫辭。疑於時，仲尼造之於魯，尚未播之於遠國也」。由此可知，易的卦辭爻辭雖各國所同；但對卦爻的解釋，則多各自爲說。易得入於經學，與十翼（注六六）有不可分的關係。若無十翼中的彖傳象傳，而僅有卦辭爻辭，則仍停頓於占筮者各自爲說的混亂狀態，沒有構成系統的理據可言。因此，周易雖盛行於春秋時代，而易得成爲經學的意義，實出於孔子。

十翼成立的先後，衆說紛紜。彖傳卦象（亦稱大象）爻象（亦稱小象）與卦及卦辭爻辭，關連密切，是最先成立的，可能是出於孔子的及門弟子或再傳弟子之手。若以實象（注六七）、剛柔、陰陽三者在解釋上的應用，爲解釋發展的三個階段，則卦象爻象皆爲實象，其應用爲最早，其次爲剛柔，再其次才應用到陰陽的觀念。春秋時代，對占筮的解釋，多由卦辭爻辭的推演，或由卦爻的性格（注六八）所構成。用到卦象爻象時，則皆用實象。如左昭元年秦醫和謂「在周易，女惑男，風落山，謂之蠱」，男女風山，皆是實象。此時絕對未用到剛柔的觀念，更未用到陰陽的觀念。易的基本構成因素是「一」與「--」。剛柔是概括實物的兩種不同屬性的。以剛爲一，以柔爲--，便可以把卦爻的變動，與萬物的活動，更密切的結合在一起，對占筮所提出的問題，可作較爲貼切而又有概括性的解答。所以剛柔的應用，在對易的把握、解釋上是一個大進步。戰國中期前後的陰陽觀念，已演變爲構成天地萬物的兩種性格不同的元素，這在當時稱之爲氣。陰陽的總體卽是天地；陰陽由交互作用（卽所謂消息盈虛）以生萬物，卽是天地之道。繫辭上「一陰一陽之謂道」，就是這種意思。這樣一來，天地萬物，由陰陽而構成爲有機的大體系。把陰陽應用到易上面，以一爲陽，以--爲陰，便使一與--也取得成爲構成天地萬物的兩種性格不同的元素的資格，把易與天地萬物直接結合在一起，而可以說「易與天地準」（繫辭上），可以說「易有天道焉，有地道焉，有人道焉」。這較之應用剛柔的觀念，又更前進了一大步；後人講易的哲學，更以易的哲學爲中國文化中的哲學的，大體是從這種地方講起，這大概是戰國中期前後之事。

若承認實象、剛柔、陰陽是易在解釋上的三個階段，則十翼中最先出現的應當是卦象。因爲卦象只言實象而絕未涉及剛柔。並且卦象中的實象，多與卦辭爻辭中的實象，略無關涉。例如乾卦的卦辭爻辭中，並未言及天的運行（卽四時的運行）。而卦象則言「天行健」。坤卦的卦辭爻辭中並未言及「地勢」，而卦象則言「地勢坤」。由此可知，作卦象的人實擺脫了卦辭爻辭中極有拘限性的實象的束縛，代以涵蓋性較大的實象，把易象的層次大大的提高，而爲作象傳及爻象的人所資取。卦象的重大意義，在以簡潔的語言表明實象後，立卽轉入人事行爲的合理要求之上。六十四卦中，除比、豫、觀、噬嗑、復、無妄、渙七卦稱述「先王」的作爲，泰、姤兩卦稱述「后」的作爲，剝稱述「上」的作爲，離稱述「大人」的作爲外，其餘五十三卦，都是對「君子」所提出的要求，或君子自己的要求，亦卽是對知識份子所提出的要求，或知識份子自己的要求，形成一般的，或特殊環境下的君子之所以成爲君子，知識份子之所以成爲知識份子的基本條件。而這些基本條件，在今天乃至到永遠，都有其重大價值。例如乾「象曰，天行健，君子以自強不息」，坤「象曰，地勢坤，君子以厚德載福」。屯

「象曰，雲雷屯，君子以經綸」。蒙「象曰，山下出泉，君子以果行育德」。這眞正是孔子易學精神的顯現。

但卦象僅對卦作實象的解釋，未嘗涉及卦辭爻辭，甚至是把卦辭卦辭加以揚棄了的；這便抹煞了傳統所積累的經驗，並且在占筮時不能作委曲而具體的解答。於是繼之而起的是彖辭及爻象。彖辭及爻象，是一個系統，除實象外，更以剛柔時位的觀念對卦辭爻辭作了委曲的解釋，而以九六別爻的性質，以初、二、三、四、五、六別爻的位置，可能是與爻象同時出現的。於是孔門對易的解釋始得完成，孔門的易，至此而具備了由宗教落實於人文道德之上的結構。由此可以了解，彖辭爻象，不僅出現得較遲，而且也可能出於孔門另一集團之手。

彖辭中，僅泰卦有「內陽而外陰」，否卦有「內陰而外陽」，用到陰陽的觀念。否象已有「內柔而外剛，內小人而外君子」兩句，照全般彖辭的格局看，不應再有「內陰而外陽」的複語。依否卦的語例，泰卦的「內陽而外陰」，應爲「內剛而外柔」。兩彖辭用到陰陽觀念，可能因後人以陰陽注這兩句中的剛柔而羼入進正文的。六十四卦中，僅乾卦初九的爻象有「陽在下也」，坤卦的初六有「陰始凝也」；此外皆未用到陰陽觀念；由此可以推斷，爻象本未用到陰陽觀念，此兩處用的陰陽觀念，可能是戰國中期以後的某位傳易的人所增入，以加強其解釋力的。若作彖辭爻辭的人已用到陰陽觀念，則六十四卦，三百八十四爻，皆用陰陽觀念作解釋，豈非更能表現出完整性和系統性，爲什麼祇用到兩卦兩爻？

易是由久遠的傳統而來，發展到應用剛柔觀念以後，並未放棄傳統的實象。發展到應用陰陽觀念時，因卦辭爻辭的解釋已經完成，遂使陰陽觀念在卦辭爻辭的解釋中，無直接用武之地，於是只好在十翼的其他部份發生作用。但依然是與實象、剛柔等，混揉在一起。十翼中有的部份顯得雜亂，原因在此。在卦象彖辭爻象出現之後，接着出現的應當是乾文言，因爲乾文言中無陰陽觀念。坤文言中有陰陽觀念，但只有「陰雖有美」，及「陰疑於陽必戰」兩處，其分量不及「坤至柔而動也剛」的重要，所以應當成立於繫辭之前。繫辭、說卦，應當是由集結戰國中期前後的說易者而成。但乾文言中的六個「子曰」，繫辭中的二十三個「子曰」，是引述孔子之言，或他們相信是孔子之言。二十九個「子曰」的共同特點是將易的神秘性落實於人文之上，由行爲決定人的吉凶悔吝。序卦只有實象，且繫辭上有「是故君子所居而安者，易之序也」一語，是序卦承卦象之統所發展出來的，時間應在繫辭之前。雜卦加入剛柔觀念而有韻，這是承彖辭爻象之說，由學易者所編的便於記憶的歌訣，其成立亦當在繫辭之前。今人把序卦雜卦的時間說得很遲，甚至說是出於漢儒之手，豈有漢儒言易而不沾上陰陽之理。

由上所述，可以想到，易由十翼而後列入經學，但十翼既非成於一人，亦非成於一時，是由孔門研究易的一個以上的集團，作了長期的努力所形成的。

孔子晚年因魯史記而作春秋，春秋之事及義，由左氏、公羊、穀梁三傳始明。從公羊、穀梁及春秋繁露有關材料看，傳習春秋可以考見姓名的，在十人以上；公羊、穀梁，是集結一個以上的研究集團的成果而成。而左氏傳對戰國諸子百家影響之大，史記《十二諸侯年表序》，言之頗詳。其有關問題，我在原史一文中已有闡述（注六九）。此處僅指出孟子說孔子之作春秋是「其事則齊桓晉文，其文則史；孔子曰，其義則丘竊取之矣」（注七〇），春秋之所以入於六經，是因孔子從魯史中取其「義」。離開孔子所取之義，則只能算是歷史中的材料而不能算是經。乃有人要越過孔子以求周公的史法（注七一），眞可謂昧於經之所以爲經的本源。

總括地說：經學的基礎，實奠定實於孔子及其後學，無孔子即無所謂經學。但此時不僅經之名未立；且易與春秋尚未與詩書禮樂組合在一起。因此，可以說，孔子及其後學所奠定的是經學之實，但尚未具備經學之形。

四　孟子與經學

孔子之學，從文獻上說，概括了後來之所謂六經，所以他才眞正可以說集古代文化的大成。同時，他並轉換了傳統的價值觀念，創發了新的價值觀念，所以他才眞正可以說是後來文化的源泉。他死後，他的弟子、後學，分爲若干學團，各傳承他學問的一部份，有所述作，形成儒家的大統；其中最特出，而其著作又能較完整地傳到今日的當推孟子荀子。

孟子在思想上的最大貢獻，可概擧以三。第一，承孔子「性相近」，「性與天道」，及中庸「天命之謂性」，而進一步發展出性善之說，使人生價值，能當下在各人生命之內生根，由此而人格尊嚴，人類互信互助，自由平等，都有了不可動搖的基礎。第二，將古代「天視自我民視，天聽自我民聽」（注七二）的思想，及孔子由書敎中所導出的天下爲公的思想，作進一步的發展，而提出了不僅政治的一切是爲人民，並且人民可以決定政治的一切的王道政治，在思想上，開闢出中國進入民主的大道（注七三）。第三，他特別重視人民的物質生活，認爲解決人民的物質生活，才是政治上一切施爲的根本，因而提出井田制，實際卽是提出了土地問題及其解決問題的大方向。並提出了明確的「學校」觀念」，奠定爾後敎育制度的基礎。這些貢獻，都和他所受的詩書禮春秋之敎有密切關係。他在後來之所謂經學中，缺乏對樂的具體陳述。他在政治上，認爲樂的意義是決定於「獨樂」還是「與民同樂」，不決定於樂的今古（注七四）。在個人修養上，他很重視樂（音洛），他說了「樂（音洛）則生矣」(注七五)的意味非常深長的一句話。但樂（洛）主要是來自四端的擴充，而不一定來自音樂。同時這也反映出樂本無所謂經，卽孔子所提倡的樂已經衰微，傳習不易。孟子一書，更沒有談到易，這說明他不曾學易。

孟子書中引詩者大約有三十四次，其中有三次出於他人；其餘皆出於孟子。所引的詩，絕對多數出於政治性很濃厚的大雅小雅，引國風者僅四次，其中二次出自他的學生(注七六)。孟子引詩，一是作自己立說的證明(注七七)，一是陳述歷史事實，也是爲了補足自己的某種觀點。此種運用詩的方式，以後不斷發展，到漢初韓詩傳而達到高峯。他這樣深於詩教而未嘗深入於樂，這反映出當時詩與樂已經分離。他說詩與作詩的態度，具見於他答咸丘蒙及公孫丑之問兩章。玆簡錄於下：

（1）「咸丘蒙問曰：詩云：普天之下，莫非王土；率土之濱，莫非王臣。而舜旣爲天子矣，敢問瞽叟之非臣如何？曰，是詩也，非是之謂也。勞於王事，而不得養父母也。曰，此莫非王事，我獨賢勞也？故說詩者，不以文害辭，不以辭害志。以意逆志，是爲得之。如以辭而已矣。雲漢之詩曰，周餘黎民，靡有孑遺。信斯言也，是周無遺民也……」萬章上。

（2）「公孫丑問曰：高子曰，小弁，小人之詩也。孟子曰，何以言之？曰怨。曰，固哉高叟之爲詩也。有人於此，越人關弓而射之，則已談笑而道之。無他，疏之也。其兄關弓而射之，則已垂涕泣而道之。無他，戚之也。小弁之怨，親親也。親親，仁也。曰，凱風何以不怨？曰，凱風，親之過小者也，小弁，親之過大者也。親之過大而不怨，是愈疏也……」告子下。

由上面兩個故事，首先可以反映出當時詩的流佈之廣，及孟子對詩的熟練。詩是感情的語言，用字結句，有自然地誇飾性。（1）的所謂「文」，指的是用字；「辭」，指的是由字所結成的句。「志」指的是作詩者的動機及其指向；「意」是讀者通過文辭的玩味，擺脫局部文句文字的拘限性，所把握到的由整體所醞出的氣氛、感動、了解。由所得到的這種氣氛、感動，以迎接出（逆）詩人作此詩之動機與指向，使讀者由讀詩所得之意，「追體認」到作者作詩時的志，這才眞正讀懂了，才可以說詩。孟子所提出的方法，是含有普遍妥當性的。由此可以了解他對詩所下的工力之深。

（2）所說的是作詩的態度問題。此處的所謂怨，是指挾帶着感情的批評。孟子的意思是：對親長的小過，爲子者可以隱忍；但大過則應當批評。孟子之所謂小過，是關係於個人的；所以凱風詩中七子之母尙欲改嫁，依然是小過。七子自責而不怨其母，孟子認爲是對的。所謂大過，是關涉到政治的；幽王聽褒姒的話放逐太子宜咎，這便牽涉到政治問題，宜咎賦小弁之詩（注七八），發於感情之所不容已的批評，實際是親愛其親，與仁相合。涉及政治的大過而不怨，在孟子看來，父子君臣之間，更增加了距離，不合於父子之親及君臣之義。孟子的話，不是懸空的理論，而係體認到人情的自然。我年來感到，對自己國家的問題，與對其他國家的問題，在感受上，因而在感情上，自然有不同的反應。於是對自己國家的問題，常不能自己的作出「怨」的批評；而對其他國家的同樣問題，或因事不關己，置之不議不論；卽有所批評，在批評中不可能有怨。所以全中國盛行的「歌德」派作家，實際是發自疏離於自己國家人民的心理狀態，實際也是出於把他所歌頌的人，不當人來看待的心理狀態。但所有統治者都不能了解孟子從人情人性深處所說出的這段話的意義。孟子的話，可以鍼貶小儒對「溫柔敦厚」（注七九）的曲解。

孟子對書下了與詩同樣深厚的功夫。全書引「書曰」或逕擧書的篇名者，大約有十六次。他讀書的方法，有一種是：

「孟子曰，盡信書，則不如無書。吾於武成，取二三策而已矣。仁人無敵於天下。以至仁伐至不仁，而何其血之流杵也」（盡心下）

這種把價值判斷轉爲眞僞判斷，是不足取法的。但由此可以啓發出：孟子認爲書不合理的僅此一處；其餘則認爲是合理的。再推而上之，不難了解，周室之史，當編輯成書時，是經過了一番選擇，用作貴族的教材，其目的不在後世之所謂史。以史爲目的所編集的則爲魯之春秋，及汲冢中所發現的《竹書紀年》這類的形式。孟子讀書的另一方法是：

「孟子謂萬章曰……以友天下善士爲未足，又尙論古之人。頌其詩，讀其書，不知其人可乎，是以論其世也。是尙友也。」（萬章下）

上面的話，本是爲尙友而發，但帶出了讀書的主要方法。「世」等於今日之所謂「時代」或「社會」。頌其詩，讀其書，要深入進去以把握詩書中的「人」；人是活的，是有精神血脈的。把握到詩書中的人，不僅詩書也是活的，也成爲有精神血脈的，而且此時所見的不是文字的世界，而是人的世界。但每一個人，皆生於時代（世）之中；人的價值，乃在時代中形成，亦須在時代中論定；否則人不是具體而成爲抽象的，「非歷史的存在」。孟子就更進一步提出由「論其世」以達到「知其人」的目的，把人與世，緊密地連結在一起，由歷史以確定人的地位，由人以照明歷史的運行；這樣一來，他所進入的人的世界，即是進入到有精神血脈的歷史世界。所以孟子一書中，不但反覆稱道堯、舜、禹、稷、益、皐陶、湯、傅說、太王、文王、武王、周公、及伊尹、伯夷、柳下惠、孔子、顏淵、曾子等；且將伊尹、伯夷、柳下惠、孔子，作爲四種人格的典型，以較論其長短得失。在答公孫丑「文王不足法與」之問中，具述由湯到武丁以及紂之形勢，以見文王王天下之所以難（公孫丑上）。在答滕文公問爲國中，述三代之賦與學，因而提出井田制（滕文公上）。在答公都子問「外人皆稱夫子好辯」中，歷述由堯、舜、禹以迄周公孔子，歷史中一治一亂的情形，及聖人救亂的努力（滕文公上）。

在對應陳相「道許行之言」中，述堯、舜、益、禹、稷當時所遇之嚴重危機及他們的功績（仝上）。在言「人之所以異於禽獸者幾希」時，歷述舜、禹、湯、文王、武王、周公在政治上的基本德行（離婁下）。在答萬章問「堯以天下與舜」中，歷述堯、舜、禹傳位的情形，及益、伊尹、周公所以「不有天下」的原因（萬章上）。在答北宮錡問「周室班爵祿也，如之何」中，歷述自天子以至「庶人在官者」的爵與祿的情形（萬章下）。在他作「三代之得天下也以仁，其失天下也以不仁」（離婁上）的大判斷時，可以稱爲「仁的歷史哲學」。他一則說「五百年必有王者興，其間必有名世者。由周以來七百有餘歲矣。以其數則過矣，以其時考之則可矣」；而感到有「當今之世，捨我其誰也」的信心（公孫丑）。再則曰，「由堯舜至於湯，五百有餘歲，若禹皋陶，則見而知之，若湯則聞而知之。由湯至於文王，五百有餘歲，若伊尹，萊朱，則見而知之；若文王則聞而知之。由文王至於孔子，五百有餘歲，若太公望散宜生，則見而知之；若孔子，則聞而知之。由孔子以來，至於今百有餘歲，去聖人之世，若此其未遠也，近聖人之居，若此其甚也。然而無有乎爾，則亦無有乎爾」（盡心下）。通貫歷史之流，以把握人道治道傳承的大統，由此以自勉，並以此勉世人。雖「五百」之數，沒有眞正理論的根據，但由此可以了解由堯舜到孟子的歷史，實洞徹於他的胸中，成爲有精神有血脈的活的存在，因而開闢了他在人生政治上的學術思想，支持並充實了他的偉大人格；這只能說他是有得於詩書之教；尤其有得於書教。孟子一書，卽以「由堯舜至於湯」一段爲收束，可能與論語一樣，有種特殊意義。我在原史一文中，曾特別指出孔子的學問與史的關係。在這裏也應指出，孟子的學問與史的關係。這與古希哲人的以冥想、辯論爲學的，自然形成一種分水嶺。

孔子說「義以爲質，禮以行之」。孟子則常以「禮義」連辭(注八〇)，並與仁義知組合在一起而稱爲「仁義禮智」，成爲人的四種基本德性。此四種基本德性，皆發於人心所固有。所以說「仁義禮智，非由外鑠我也，我固有之也」(注八一)，又說「仁義禮智根於心」(注八二)，從「辭讓之心，禮之端也」，及「恭敬之心，禮也」的話看，他是以辭讓、恭敬爲禮的基本精神，或禮的基本性格，而將其內在化，使其在生命之內的心上生根，並進一步認爲是由心所固有。所以他便可以說「夫義，路也；禮，門也」(注八三)，與人的現實生活不可離，這是禮的精神的一大發展。禮必以踐履而見。但孟子時代，因封建政治已解體，本由適應封建政治的要求所建立的禮，在政治上的效用，已經很稀薄；孟子說「諸侯之禮，吾未之學也」(注八四)，殆亦時勢使然。所以孟子所言的禮，除恭敬辭讓的精神，應隨事而見外，多表現在出處辭受取予之間，他在政治上，以言仁義爲主。

站在經學發展史的立場看，孟子除發展了詩書禮的意義外，他特別提出了孔子作春秋的意義。他把孔子作春秋，認爲是繼堯使禹治水，周公相成王誅紂伐奄，爲歷史撥亂反正的一大關鍵，所以他說

「春秋，天子之事也」(注八五)，他說「王者之跡熄而詩亡，詩亡然後春秋作」(注八六)，除說了孔子作春秋的意義外，也可以視爲春秋在經學史上，乃繼詩而成立。大約孔子春秋之學的傳承，到了戰國中期而影響已經擴大。

五　荀子——經學形式的發展

孟子發展了詩書之敎，而荀子則發展了禮樂之敎。若就經學而論，經學的精神、意義、規模，雖至孔子已奠其基，但經學之所以爲經學，亦必具備一種由組織而具體化之形式。此形式，至荀子而始挈其要。

荀子學問的宗旨與方法，可由勸學篇「學惡乎始？惡乎終？曰，其數則始乎誦經，終乎讀禮。其義則始乎爲士，終乎爲聖人。」這裏特別值得一個附帶注意的是，他已以詩書爲經(注八七)，而不以禮(包括樂)爲經。因爲他特別重視禮，禮與樂相成，因而也特別重視樂。他對禮有三大貢獻：一是總結了傳統的禮樂精神，賦與禮樂以理論的根據；並以禮爲詩書的總持。此卽禮論樂論之所以作。二是把禮的起源，推到經濟生活的合理分配之上，使禮與經濟發生密切連繫。三爲把禮的「定分」，推廣到政治、社會上，使其成爲「各盡所能」、「各取所值」的組織原則，這種組織原則，他稱爲「統類」(注八八)。他說：「將原先王，本仁義，則禮正其經緯蹊徑也。……不道禮憲，以詩書爲之，譬之猶以指測河，以戈舂黍也，以錐飡壺也，不可以得之矣。」（勸學篇）這裏正說的是詩書缺乏組織的統類性。但他雖然特別重視禮，不僅更凸出了詩書禮樂的組成意義，並且春秋開始與詩書禮樂，組成在一起。各賦與以獨立而又互相關連的意義，由此而使經學形式有了進一步的發展。他說：

「故書者政事之紀也；詩者中聲之所止也；禮者法之大分，類之綱紀也……禮之敬文也，樂之中和也，詩書之博也，春秋之微也，在天地之間者備矣」（勸學篇）

「禮樂法而不說，詩書故而不切，春秋約而不速」（同上）

「詩言是其志也，書言是其事也，禮言是其行也，樂言是其和也，春秋言是其微也」（儒效篇）

站在經學史的立場，把春秋與詩書禮樂組在一起，是一件大事。荀子應用到易。如「故易曰，括囊無咎無譽，腐儒之謂也」（非相篇）。「易之咸，見夫婦。夫婦之道，不可不正也。君臣父子之本也。咸，感也。以高下下，以男下女，柔上而剛下」（大略篇）。又「易曰復自道，何其咎」（同上）。但他還未將易組入到詩書禮樂春秋中去。不過，他說「善爲詩者不說，善爲易者不占，善爲禮者不相，其心同也。」（大略篇），他在這裏，把易與詩禮說在一起，由此稍向前一步，「詩書禮樂易春秋」的六經，便整備齊全了。

爲了解荀子對漢代經學的影響，由下引材料，可略窺見一般。

「小戴所傳三年問，全出禮論篇。樂記鄉飲酒義所引，俱出樂論篇。聘義子貢問貴玉賤珉，亦與儒行篇大同。大戴所傳禮三本篇，亦出禮論篇。勸學篇卽荀子首篇，而以宥坐篇末見大水一則附之。哀公問五義，出哀公篇之首；則知荀子所著，載在二戴記者尚多」（謝墉荀子箋經序）

「荀卿之學，出於孔氏，而尤有功於諸經。經典敍錄毛詩……一云子夏傳曾申，申傳魏人李克，克傳魯人孟仲子，孟仲子傳根牟子，根牟子傳趙人孫卿子，孫卿子傳魯人大毛公。由是言之，毛詩荀卿子之傳也。漢書楚元王交傳，少時嘗與魯穆生、白生、申公，同受詩於浮邱伯，伯者孫卿門人也……由是言之，魯詩，荀卿子之傳也。韓詩之存者外傳而已。其引荀卿子以說詩者四十有四。由是言之，韓詩荀卿子之別子也。……由是言之，左氏春秋，荀卿之傳也。……由是言之，穀梁春秋，荀卿子之傳也。荀卿所學，本長於禮……由是言之，曲台之禮，荀卿之支與餘裔也……」（汪中荀子通論）

按汪氏之論，除魯詩出自荀卿，確有根據；韓詩外傳，不僅引荀子者四十四，其引詩之例，亦出自荀子。餘多爲牽附之談，不可盡信。而荀子書中，涉及春秋者僅爲公羊傳（注八九），不能謂荀卿曾傳授穀梁與左氏傳。但西漢在武帝以前，荀子的影響甚大，則確係事實。西漢經學，與荀子有各種關連，則是可以推論而得的。

六　墨子中的經學影響

考查經學典籍在儒家以外各家的情況，可以了解經學所代表的原是古代文化；雖由儒家長期努力，使其能成爲經學，但並非儒家一家之學，故能給儒家以外的各家以影響。首先應注意到墨子。呂氏春秋當染篇「魯惠公使宰讓請郊廟之禮於天子，桓王使史角往，惠公止之。其後（高誘注：『史角之後也』）在於魯，墨子學焉」。我曾認爲孔子之學出於史，墨子之學亦出於史。因爲以教誡爲目的的經學典籍皆出於周室之史所選擇，編定，傳承的，這與章實齋「六經皆史」的史書之史，意義不同。韓非子顯學篇謂「孔子墨子俱道堯舜」。通過今日的墨子一書，他立論的根據，還是「聖王」、「先王」；所謂聖王先王，正指的是堯舜禹湯文武。而反面人物，則指的是桀紂厲幽。所染第三，正面的引了「舜染於許由伯陽，禹染於皐陶伯益，湯染於伊尹仲虺，武王染於太公周公」。反面的又引了桀、紂、幽。諸侯方面，正面的引了齊桓晉文楚莊吳闔閭越勾踐；反面的引了中行寅、吳夫差、知伯、中山尚、宋康。在全書中引用了許多古代當代的故實，可作治古史者的參考。尤其言吳越之事較詳。他在法儀第四，開始以禹湯文武連綴爲一組，以桀紂幽厲連綴爲一組。此後在全書中多次出現。節葬下歷引堯舜死葬的情形，把堯舜與禹湯文武連綴在一起而稱爲「堯舜禹湯文武之道」。他在非命上謂「故言必有三表。何謂三表。子墨子言曰，有本之者，有原之者，有用之者。於何本之？上本之於古者聖王之事。於何原之，下原察百姓耳目之實。於何用之，廢（發）以爲刑政」。而他和以後諸子百家最大不同點之一，他所「本之於古者聖王之事」，上自堯舜，下迄吳王夫差越王勾踐，與早期儒家所述之「古」的範圍略同，未嘗出之以浮誇臆造。然則淮南子要略謂「墨子學儒者之業，受孔子之術，以爲其禮煩擾而不悅（說），厚葬靡財而貧民，（久）服（喪服）傷生而害事，故背周道而用夏政」。此一說法，與墨子學於史角之後，並不矛盾。主術訓謂「孔墨皆脩先聖之術，通六藝之論」。墨子魯人，約生當於子思之時（注九〇）；其受有孔子影響，而不滿意於孔子所傳承的禮樂，因而「原察百姓耳目之實」，另成一派，此乃情理之常。惟所謂「背周道」三字，易生誤解。文王武王周公，爲他立說的重要根據之一；則所謂「背周道」，乃矯周「文」之弊而已。因此，他除非樂節葬以外，儒家典籍中的詩書，對他發生了很大的作用。尤其是書。他說「吾嘗見百國春秋」，此雖非孔子所修春秋，要亦可謂深於廣義的春秋之教。

墨子引用的古典，凡四十餘條，引詩者約十一（注九一），其中所染篇所引的「詩曰，必擇所堪」爲逸詩。兼愛下「周詩曰」，開始的「王道蕩蕩」四句出於洪範；後面「其直若矢」四句，出於小雅大東。在墨子，詩與書的界線不大明確；所以明鬼下「子墨子曰，周書大雅有之」，他以大雅爲周書，他又將大雅稱爲大夏，天志下「非獨子墨子以天之志爲法也，於先王之書大夏之道亦然」；俞樾以大夏卽大雅，而所引之「帝謂文王」等六句，正大雅文王篇文，與儒家系統所傳的，略有文字異同，我以爲儒家所傳，經過了若干潤色。

墨子上所引的書，有的今日無從查考。例如尚同中「是以先王之書相年之道曰……」。兼愛下「古者禹治天下」，言禹治水情形，必有所本，而爲禹貢所無。天志中「又以先王之書馴天明不解之道也知之」。明鬼下「且禽艾之道之曰」。墨子間詁引「蘇云，禽艾，蓋逸書篇名」等。先秦儒家，似乎沒有引用周書（一稱逸周書）的，墨子似乎引用了三次（注九二），引堯典者一（注九三）。引夏書者五（注九四），其中明鬼下「夏書禹誓曰」所引的是書甘誓的全文，僅文字稍有出入，特值得注意。引商書者九（注九五），引周書者十七（注九六），稱春秋者五（注九七），上面的數字，可能還有遺漏。其中特值得注意的是：他既引用了湯刑，使我們了解荀子正名篇「刑名從商」的話，確有根據。並以很鄭重的語氣，三引呂刑，這與兼愛的思想如何可以融和在一起，其中曲折所在，是值得研究的。

在墨子所引的古典中，或者可以比較多浮出秦火未殘的書的面影；而在秦毀滅各國史記（注九八）以前的各國史官著作之盛，也留下了若干痕跡。以「經」字名其著作，似以墨子中的經上經下，經說上經說下爲最早。此四篇出於墨子後學；但由莊子天下篇「相里勤之弟子，王侯之徒，南方之墨者苦獲已齒鄧陵子之屬，俱誦墨經，而倚譎不同，相謂別墨……」之言觀之，則四篇的成立，亦當在戰國中期或以前。儒家經與傳的區分，似乎受到墨家經與經說的影響。

七　莊子中的經學影響

除了墨子外，應注意到莊子一書有無五經或六經的痕跡。莊子雖對孔子，常採取調侃的態度，但「心齋」是他所提出的基本功夫，「坐忘」是他所要求的最高境界，而皆托於孔子顏淵之口(注九九)。他說孔子「醫門多疾」，謂孔子自稱「丘，天之僇民也」，不能不說他不了解孔子，不尊敬孔子。因此，他也不能不受到孔門經學實卽古代文化的影響。最後的天下篇，可以看作他的自序，也可以看作他以嚴肅的正面態度，對包括自己在內的當時學派，作了有條理的評論。他在敍述「百家往而不反」之前，先有如下的一段：

「古之人其備乎！配(合)神明，醇天地，育萬物，和天下，澤及百姓，明於本數(按指仁義)，係於末度，六通四辟，小大精粗，其運無乎不在。其明而在數度者，舊法世傳之史，尙多有之。其在於詩書禮樂者，鄒魯之士，搢紳先生，多能明之。詩以道志，書以道事，禮以道行，樂以道和，易以道陰陽，春秋以道名分。其數散於天下而設於中國者，百家之學，時或稱而道之。」

上面這段話，除了「詩以道志」六句，疑係由讀者旁注插入（注一〇〇）外，他實以詩書禮樂，爲古代文化的總結，且爲諸子百家所自出；最低限度，此爲諸子百家所不能完全離棄。莊子的看法，是合於思想發展史實，而深有得於儒家之教的。齊物論「六合之外，聖人存而不論。六合之內，聖人論而不議。春秋經世，先王之志，聖人議而不辯」，莊子一書中的聖人一詞，多指儒家系統中的人物而言，此在天下篇中尤爲顯著。他生與孟子約略同時；孟子深於春秋，也說明春秋在專門傳承者之外，對一般學術界已發生影響；所以上面所說的春秋，乃指孔子所作的春秋而言；而以「經世」「及先王之志」言春秋，深合孔子作春秋之旨。

徐無鬼「女商曰，先生獨何以說吾君乎？吾所說吾君者，橫說之則以詩書禮樂，從說之則以金版六弢」。此篇雖出於莊子後學，但稱詩書禮樂，而未及易春秋，當爲較早的材料。天道篇「孔子西藏書於周室……往見老聃，老聃不許。於是繙十二經以說」。成疏「孔子刪詩書，定禮樂，修春秋，贊易道，此六經也。又加六緯，合爲十二經也」。若如成玄英之說，則天道篇當成立於西漢之末。釋文引「或說云，易上下經並十翼爲十二。又一云，春秋十二公經也」。皆牽傳之說。按此篇引「莊子曰，吾師乎，吾師乎」一段，出自莊子內篇大宗師，則本文之不出於莊子，固不待論。又「故書曰，有形有名，形名者古人有之」。形名一詞，常見於戰國末期之法家。又「夫子曰……世之所貴道者書也」一段，乃發揮易傳「子曰，書不盡言，言不盡意」二語，是此篇乃成立於易傳流行之後，亦如秋水篇「北海若曰，以道觀之」一段中「消息盈虛」數語之出於易傳者正同。總之此篇當成立於秦漢之際或更遲，而莊子及其後學，好用誇大之詞，故「十二經」實卽六經之誇大，不足爲經學史徵信的材料。天運篇「孔子謂老聃曰，丘治詩書禮樂易春秋六經，自以爲久矣，孰（熟）知其故矣」。按此篇屢言三皇五帝；三皇一詞，始見於史記秦始皇本紀，至緯書出而始大爲流行，則此篇成篇的年代，當與天道篇略同，亦不足爲經學史徵信的材料。

八　管子韓非子中的經學影響

管子是一部叢書，但出於齊地；齊魯接壤，所以內容多儒家言，其中尤重視禮，弟子職一篇，朱子以爲「全似曲禮」，因收入儀禮經傳通解，決非偶然。且其言禮，時有精義。例如卷三、五輔第十謂「上下有義，貴賤有分，長幼有等，貧富有度，凡此八者禮之經也」。樞言第十二「法出於禮，禮出於治（何如璋謂「治」乃「名」字），治禮，道也。萬物待治禮而後定」。此外法禁第四引「泰誓曰，紂有臣億萬人，亦有億萬之心。武王有臣三千而一心」。法法十六引有「故春秋之記，臣有弑其君，子有弒其父者」。此可證明作兩篇的人，受了書與春秋的影響。內業第四十九，以道家思想爲主要內容。但其中有「是故止怒莫若詩，去憂莫若樂，節樂莫若禮，守禮莫若敬」數語，可謂對詩樂禮三者有深切的體認。儒道兩家思想的接合融和，爲管子書中的另一特色。戒篇第二十六「內不考孝弟，外不正忠信，澤（舍）其四經而誦學者，是亡其身者也」。尹注「四經謂詩書禮樂」，王念孫則以孝弟忠信爲四經。按荀子既以詩書爲經，則此處以詩書禮樂爲四經，亦有其可能。且以孝弟忠信爲四經，絕無旁證。

韓非是反對儒墨，反對古代文化的。但他著書時爲加強自己論點的力量，依然有時假借古代經典，特別受孔子所作春秋的影響，徵引徧及三傳（注一〇一），及「子夏之說春秋」（注一〇二），可反映出戰國末期春秋影響之大。此外他在有度第六中引「先王之法曰，臣毋或作威，毋或作利，從王之指。毋或作惡，從王之路」，此出自洪範而文字稍有出入。他是以法字釋範字。說林上第二十三引「康誥曰，毋彝酒，彝酒者，常酒也」。說疑四十四「其在記曰，堯有丹朱，而舜有商均。啓有五觀，商有太甲，武王有管蔡。五王之所誅者，皆公子兄弟之所親也」。這是對由書所代表的歷史，作概括性的陳述。又「記曰，周宣王以來，亡國數十，其臣弒君而取國者衆矣」。此可能係國語左傳的綜述。韓非著書，取證於歷史及當時之事者甚多。他排斥詩易及禮樂，而所受於書及春秋者，皆斷章取義，作適合於自己思想的解釋。但亦未嘗不可反映出他激烈反儒，但有時亦引孔子，由此可知他終不能將儒家經學中的典籍及孔子完全抹煞。

九　呂氏春秋中的經學影響

最後談到呂不韋門客集體著作的呂氏春秋與經學的關係。

呂氏春秋，僅排斥法家，而融貫其他諸子百家；但在養生上以道家爲主，在政治上以儒家爲主。並特設勸學、尊師、誣徒三篇，發揮孔子以下的學與教的精神傳統。尤其是在孟夏紀尊師篇末，特提出「天子入大學，祭先聖，則齒（序年齡的大小）嘗爲師者弗臣」。不僅「大學」觀念的出現，以此爲最早，給爾後以重大影響。且把聖人的地位，提高在天子之上，把擔當學統的師的地位，提高到與天子同列；此實認爲學術重於政治，因而含有使學術不受政治干擾的重大意義。最後加入上農等四篇，提倡農業生產知識。以這部著作爲先秦諸子百家的飾終典禮，是最爲恰當的。他最基本的思想，是要求政治的行爲、設施，能與天道相合。天道由陰陽而見，陰陽則運行於四季十二個月之中，所以天道是由十二個月的推移而見。他們於是把認爲與四季十二個月中陰陽之氣相適應的政治設施、禮樂，及相關的思想，組成一個互相配合的系統，以達到他們「與天同氣」，亦卽是天人合一的目的，這卽是他們所自稱的「十二紀」。每一紀由五篇文章組成，第一篇是由節令及適應於節令的政治行爲設施所組成，這便稱爲「紀首」。逸周書取紀首爲月令五十三，現行本此篇雖已亡佚；然就朱右曾周書集訓校釋所輯逸文考之，其爲十二紀紀首，可無疑問。淮南賓客，採入今日所稱爲淮南子，稍加損益，稱爲時則訓。戴聖編定禮記時，採入爲月令第六，遂列爲儒家不刊之典；這是先秦諸子百家中所沒有的盛事。

紀首可稱爲廣義的禮，而仲夏紀季夏紀有八篇言樂，成爲考論古樂的基本文獻之一。由此可知，禮樂在呂氏春秋的構成中，佔有很重要的地位。此外，據我極不完全的統計，引詩者十(注一〇三)，引書者六(注一〇四)，引易者四(注一〇五)。他們著書的體例，多係引用許多故事以證明其論點。在所引故事中，引用了大量左氏傳中的故事，卷二十二求人「觀於春秋，自魯隱公以至哀公，十有二世，其所以得之，所以失之，其術一也。得賢人，國無不安；名無不榮。失賢人，國無不危，名無不辱」。對春秋「十有二世」的綜貫而概括的看法，證明他們有人對春秋曾下過很大的工夫。簡言之，在呂氏春秋中，浮出了詩書禮樂易春秋六經的面影，而對禮樂更爲突出。他們大量地引用了孔子及其門人的言論與故事。卷四勸學「孔子畏於匡，顏淵後，孔子曰，吾以汝爲死矣。顏淵曰，子在，回何敢死」，這分明引的是論語先進「子畏於匡」的一章；僅在「子」字上增一「孔」字。這和後來淮南賓客中有一個強有力的儒家集團，是同樣的情形。但不同的是，淮南賓客中的道家，在宇宙政治人生上自成系統，此種系統，是與儒家思想有矛盾的；所以淮南子中的主術訓，雖將兩家思想加以貫通融和，但融而未化；且在其他各篇中，尤其是在泰族訓中，出現兩家思想的抵抗。呂不韋的賓客中，則將道家思想，主要安排在養生方面；談到政治問題，學問問題時，則以儒家思想爲主幹，而儒家思想，是由總結古代的文化而來，其基本性格，本是開放到「道並行而不相悖」（注一〇六）的，所以卷十七不二「老聃貴柔，孔子貴仁，墨子貴廉（兼），關尹貴清，子列子貴虛，陳駢貴齊，陽生貴己，孫臏貴勢。王廖貴先，兒良貴後」一段中，對十人的思想，作了恰當的評定。他提到孔子的約二十九次，提到老子的約六次，提到墨子的約十五次，有時孔老並稱，有時孔墨並稱（注一〇七）。此外還不止一次地引用莊子、白圭、惠子（惠施）、公孫龍子、孔穿、列子（注一〇八）、子華（注一〇九）、尹文、管子、愼子、詹子（詹何）、田（陳）駢、子思、田詘、鄧析、吳起等；實際引用而未出其名的有鄒衍、孟子。此漢書藝文志所以將其列爲雜家。但在他們引用的諸子百家中並不表現有矛盾、衝突。這主要來自全書發生主導作用的儒家集團，不感到與諸子百家之間有矛盾衝突。更由此反映出，呂不韋得勢時，六國已瀕於滅亡。士窮無所歸，他便得以援引了大批儒家入秦，在焚書坑儒前的三十餘年中，這些儒家作了不少的文化上的努力，大小戴記中有不少篇章，即出於此時儒者之手。

十　六經六藝的完成

經學的經字，首先是由儒家以外諸子所應用的。前面已經說到墨子一書中有經上下及經說上下。荀子解蔽篇中引用有「道經曰」。韓非子內儲說上下，亦分爲「經」與「說」。長沙漢墓帛書老子乙本，前有「經法」、「十大經」。由墨子韓非子看，所謂「經」者，乃所提出問題的綱領；而所謂說者乃對綱領所作的較詳細的說明，此與春秋的經與傳的意義相當。這是由「經，織從絲也」（注一一〇）引伸而出。廣雅釋詁一，「經，常也」，常包括常道常法，因而視爲一種尊稱，更是引伸之義。經學的經，實用此引伸之義。

荀子已將春秋組入於詩書禮樂中而爲五。易的價值，亦已爲他所承認。則荀子的門人，進一步把易與詩書禮樂春秋組在一起，把荀子稱詩書爲經者擴大而皆稱爲經，這是順理成章的發展。因此，我以爲禮記中的經解，是出於荀子門人之手，是「六經」完成的首次宣告。

經解中引用荀子禮論之文（注一一一），則此篇之成立，必在荀子之後，且可證明其學出於荀子。開始「孔子曰，入其國，其敎可知也」。這裏的「孔子曰」，未必是出於孔子，但必出於先秦傳承之說。漢儒斷沒有無所傳承而憑空揑造孔子之言的。「入其國」三字，猶保有列國並立的面影。本文分爲四段，第一段言六經教育之效。第二段言禮對天子的重大意義，引「詩云，淑人君子，其儀不忒，正是四國，此之謂也」作結。第三段言禮的一般主要意義，引「孔子曰，安上治民，莫善於禮，此之謂也」作結，此乃出自孝經。第四段言禮的各別意義，引「易曰，君子愼始，差若毫釐，繆以千里，此之謂也」作結。此乃出自易繫傳。引易作一段文意的結束，蓋始於荀子非相篇。由此可見經解篇作者對易的熟習。我推測，這是秦初統一天下以後的荀子的一位門人的作品。秦統一天下後，立博士七十人（史記始皇本紀），不能說他們對文化事業，不想有一番作爲。據始皇本紀李斯「非博士官所職，敢有藏詩書百家語者雜燒之」的話，可知此時雖爲「雜學」博士，但詩書仍佔有重要地位，亦即其中有出色的儒生，有荀子的門人。故亦可推測爲出於秦博士之手。經解雖未稱詩書等爲經，而由「經解」之名，實已稱之爲經。他繼荀子之後，正式把易組入在一起，於是六經之名與數及經學的形式，至是而始完成。玆將開始一段抄在下面：

「孔子曰，入其國，其教可知也。其爲人也，溫柔敦厚，詩教也，疏通知遠，書教也。廣博易良，樂教也。絜靜精微，易教也。恭儉莊敬，禮教也。屬辭比事，春秋教也。故詩之失愚，書之失誣，樂之失奢，易之失賊，禮之失煩，春秋之失亂。其爲人也，溫柔敦厚而不愚，則深於詩者也。疏通知遠而不誣，則深於書者也。廣博易良而不奢，則深於樂者也。絜靜精微而不賊，則深於易者也，恭儉莊敬而不煩，則深於禮者也。屬辭比事而不亂，則深於春秋者也」。這裏我們注意到，由孟子以下迄漢儒，凡言春秋之義的，無不就褒貶立言；僅此篇就「屬辭比事」立言。言詩書的亦無不就敬戒立言，僅此篇就「溫柔敦厚」及「疏通知遠」立言。則在秦的法家政治氣壓之下，作者殆在宏揚儒教之中，心存顧忌，故不得不委曲求全。而書中編入秦誓，殆亦出於當時博士們的苦心孤詣。

我們還可附帶提到禮記中的學記。我過去也以爲學記是出於漢儒之手。但學記中兩引「兌命曰」，鄭注「兌當爲說。說命書篇名」，「今亡」。伏生所傳書二十九篇中無說命；說命出於孔壁，乃「古文尚書」中的一篇。不僅西漢儒生未見古文尚書，下逮鄭康成及其並時或稍後的儒生亦未見。故學記若出於漢人之手，不得援引到說命，是學記亦出於秦時儒生或博士之手，這是他們所構想的理想地教與學的方法。其中「一年離經辨句」，正出於他們提倡以經學爲學問基礎的用心。由此我們不難想見，在秦統一天下後，儒生曾作過一番文化上的奮鬪，爲秦的法家政治所不容，遂以焚坑之禍爲悲劇性的結束。過去言文化史的人，把這一段輕輕略過了。

現在我們應對陸賈的新語（注一一二）略加考查。陸賈向劉邦提出新語時，上距秦之亡不到十年。陸賈時在劉邦前稱說詩書，他所受詩書之敎，是在秦代而不在漢代。新語道基第一，以「先聖」「中聖」「後聖」三個名詞，作爲歷史發展的三階段，及每一階段所具有的意義。他把「定五經，明六藝，承天統地，窮本察微，原情立本，以緒人倫……以匡衰亂」的屬之後聖，實卽屬之周公孔子。他這裏所說的五經六藝的名稱，乃承述秦代已有的名稱，而不可能是出於他的自製。因爲陳涉們奮起亡秦，天下擾亂，他自己投身於擾亂之中，沒有時間在整理中製出這種名稱。他不稱六經而稱五經，站在文獻的立場，因爲樂本無經，故據實而論，實在只有五經。五經一詞，遂爲兩漢通用的名稱。但「詩書禮樂」，實爲自春秋以來的大傳統。樂雖無經，並且自孔子以後，思想家中，除傳承、發揮樂的理論外，亦無實踐之人，但此傳統實亦不能抹煞。於是把樂包括在一起時，便稱爲六藝。藝是藝能，六藝是指詩書禮樂易春秋六者可以養成人的六種能力。五經六藝兩個名詞的出現，是表示在經解之後，儒家中有人作了進一步的精密考校所建立的更爲確切的名稱，其出現的時間，依然是在秦代。入漢後，還偶然稱「六經」，這是在傳統中的習慣性的稱法，不是漢代普遍性的稱法。

總結前面所述，我們可以得出四個結論。一是從經學的思想、精神方面說，是始於周公，奠基於孔子。從經學的組成、形式方面說，則一直到秦始得完成。陸賈新語在道基第一中把五經六藝視爲歷史發展的結果，視爲古代文化的集大成，是很有意義的。二是前面所述的由孟子以下的人物，都是屬於思想家型的。他們受了經學典籍的基本教育，但經學典籍，只在他們的思想中發生各種程度不同的作用，他們並非以傳經爲業的經學家型的人物。實則由禮之大小戴記，易之十翼，春秋之三傳，可以推知另有一批經學家，以某一經爲中心，作了許多解釋和創發的工作。他們的思想，與思想家型的不同之點，在於他們是順着他們所治的經以形成他們的思想，有廣狹之不同。但先漢兩漢，斷乎沒有無思想的經學家。無思想的經學家，乃出現於清乾嘉時代。先漢經學家型的人物，在經學家的形成中，居於主要的地位，尤其是自孔子的晚年，一直到戰國中期，是他們最活躍的時代，但除春秋三傳外，他們幾乎都是無名英雄，難作以姓名爲標題的敍述，這是非常可惜的。三，應打破漢書儒林傳所敍述的經一線單傳下來的迷信，這是五經博士成立以後，由五經博士們爲了壟斷經學的權利所造出來的迷信（注一一三）。四是應打破漢書藝文志六藝略總序中所謂「而易爲之原」的迷信。此乃由董仲舒的陰陽說大行以後所出現的觀念。這兩點對於漢代經學史的清理，有重要的意義。

附注

注　一：見皮錫瑞經學歷史「一、經學開闢時代」；此爲清代今文學家的通說。

注　二：見章學誠文史通義卷二原道上。章氏鄙陋的根源之一，係將文化學術的創發與傳承，完全安放在統治階層之上。至清代古文學家言經學，以周公爲主，乃由劉歆王莽，曾提倡古學，而又緣飾周公以爲奪取政權的手段，將兩者傳合而成。實則劉歆們並未排斥博士們的今文學，更未曾將經學中的孔子地位，轉移到周公。此觀於班固本劉歆七略以爲漢書藝文志而可見。

注　三：見禮記表記。

注　四：此文收入兩漢思想史卷三，見頁二四〇——二四二。

注　五：左文十八年魯太史克謂「先君周公制周禮」。

注　六：書的大誥、康誥、酒誥、梓材、洛誥、多士、無逸、君奭、多方、立政，皆出自周公。而據詩序，七月、鴟鴞爲周公所作。據國語周語，祭公謀父諫穆王將征犬戎時，謂「是故周文公之頌曰：「載戢干戈…」是時邁之詩，爲周公所作。富辰諫襄王將以狄伐鄭，引「周文公之詩曰，兄弟鬩干牆，外禦其侮」。是棠棣之詩，爲周公所作。又芮良夫因厲王說（悅）榮夷公，而嘆「王室其將卑乎」的話中，說周雅的思文及大雅的文王，皆周公所作。

注　七：樂的紀錄，應如今日樂譜的性質。樂亡，乃其曲譜之亡。故樂不可能有文字記錄的典籍。樂記之類，乃言樂的理論與效果，不可稱爲樂經。樂本無經。

注　八：見開明書局出版十三經索引頁一四六。

注　九：同上頁一四六〇——六一。

注　十：同上頁一四六一。

注一一：同上頁一〇二八。

注一二：同上頁一一三九——四〇。

注一三：同上頁一〇二四。

注一四：同上頁一一一二。

注一五：同上頁一〇二四。

注一六：同上頁一一九。

注一七：左莊公十四年。

注一八：左襄公三十年。

注一九：左襄公三十一年及左昭公二十四年。

注二〇：左定公四年。

注二一：例如左襄公二十五年，衞太叔文子「書曰…詩曰…」左昭六年晉叔向「詩曰…書曰……」。

注二二：左莊公十二年，閔公元年二年，僖公十五年秦晉各有筮事。僖公十五年，二十五年，宣公六年，成公十六年，襄公九年，二十五年，二十八年，昭公元年、五年，七年，十二年，二十九年、三十二年，哀公九年。

注二三：周語上（一）內史過引「夏書有之曰，衆非元后何戴。后非衆無與守邦」，韋注「逸書也」。（二）又引「湯誓曰：余一人有罪，無以萬夫。萬夫有罪，在余一人。」韋注「今湯誓無此言，則散亡矣」。（三）又引「在盤庚曰……」。（四）周語中單襄公論「陳侯不有大咎國必亡」中引有「先王之教」「夏令」「周制」「先王之令有之曰，天道賞善而罰淫」（五）單襄公論郤至之未能違亂，引「書曰民可近也，而不可上也」韋注「逸書」。（六）又引「太誓曰，民之所欲，天必從之」。韋注「今周書太誓無此言，其散亡乎」。（七）單襄公論晉周子之將爲晉君中引「吾聞之太誓曰，朕夢協朕卜，襲於休祥，戎商必克」。（八）單穆公諫「景王將鑄大錢」引「夏書有之曰，關石和鈞，王府則有」。韋注「逸書也」。（九）鄭語周史伯答鄭桓公之問引「泰誓曰，民之所欲，天必從之」。（十）楚語上左史倚相責申公子亹之言中引「周書曰，文王至於日中昃，不遑暇食」。（十一）白公子張諫靈王中引有「武丁於是作書」凡四十五字。韋注「賈唐云，書說命也。昭曰非也，其時未得傳說」。（十二）「昭王問於觀射父曰，周書所謂重黎實使天地不通者何也」韋注「周書，周穆王之相甫侯所作呂刑也」。

注二四：論語述而。

注二五：論語泰伯。

注二六：論語子罕。

注二七：論語陽貨。

注二八：論語爲政「或謂孔子曰，子奚不爲政？子曰，書云孝乎（一作于）惟孝友於兄弟，施於有政，是亦爲政，奚其爲爲政」。朱元晦集注以此處所引之書爲「周書君陳篇」。按今君陳篇爲僞古文，則此處的「書云」，可視爲逸書。又憲問「子張曰，書云，高宗諒陰，三年不言，何謂也。子曰何必高宗，古之人皆然……」按此處之「書」，見於說命。惟今說命爲僞古文。無逸有「其在高宗……乃或亮陰，三年不言。其惟不言，言乃雍」。則此處之所謂書，可視爲無逸。

注二九：堯典現存。自閻若璩以來，皆認舜典亡，僞古文分在堯典「帝曰欽哉」下增二十八字爲舜典。惟趙翼陔餘叢考卷一「舜典當從『月正元日』分起」條，以「月正元日」以下係「舜典原文」。陳澧渭趙「所駁最精審」（見東塾讀書記卷五）。是舜典未亡；「漢時在堯典之內」。此說亦可供參考。現大禹謨係僞古文，但孔子當能看到眞大禹謨。

注三〇：按簡氏此書遠勝劉寶楠論語正義，而時人不知重視，殊爲可惜。

注三一：我於一九四九年七月一日民主評論一卷二期，刊出「論政治的主流——從中的政治路線看歷史的發展」一文，援引中西政治思想，對此有所發揮。在今天看來，頗有意義。此文收入「學術與政治之間」。

注三二：朱元晦論語集註。

注三三：同上。

注三四：論語八佾。

注三五：同上。

注三六：同上。

注三七：禮記儒行篇。哀公問「夫子之服，其儒服與」，即其反映。而荀子非相篇特提出「士君子之容」更是由此而來。

注三八：論語衞靈公。又左襄十一年晉魏絳對諸侯謂「夫樂以安德，義以處之，禮以行之，信以守之，仁以厲之，而後又以殿邦國……」。此係平列分述，其意稍別。

注三九：禮記禮器。

注四〇：請參閱拙著人性論史先秦篇第二章「三、敬的觀念的出現」頁二〇——二四。

注四一：論語八佾。

注四二：論語子路。

注四三：論語憲問。

注四四：論語衞靈公。

注四五：論語顏淵。

注四六：論語學而、子罕、顏淵。

注四七：論語里仁「必有忠信如丘者焉」。述而「子以四教，文行忠信」。衞靈公「言忠信」。

注四八：論語爲政。

注四九：論語顏淵。

注五〇：論語泰伯。

注五一：同上。

注五二：禮記檀弓上「子游問喪具，夫子曰，稱家之有無」。

注五三：同上。

注五四：見拙文「釋論語的仁」。收入「學術與政治之間」新版頁三〇三——三二五。

注五五：見禮記孔子閒居。此篇所記者雖未必直接出於孔子，要爲孔子思想中所涵攝，而爲其弟子所發揮。

注五六：儀禮賈公彥疏謂此爲「記者」之言；我以爲自「孔子曰」至「古者生無爵，死無謚」，皆孔子之言。卽使非親出於孔子之口，亦爲傳禮者所錄孔子之敎。

注五七：我曾寫「中國自由社會的創發」一文，以闡發此義。此文收入新版「學術與政治之間」頁二八九——二九四。

注五八：古代歷史，由殷到周，在文化上有重大進步，是鐵的事實。因而周禮亦當較以前者進步。且禮的保存，亦必較夏殷兩代爲完整。孔子的從周，乃由此兩條件所決定。

注五九：此由論語八佾「子語魯太師樂曰：樂其可知也。始作，翕如也。從之，純如也，皦如也，繹如也，以成」的話而可見。

注六〇：漢書卷二十二禮樂志「漢興，樂家有制氏，以雅樂聲律，世世在大樂官。但能紀其鏗鏘鼓舞，而不能言其義」。

注六一：論語述而「子曰，加我數年，五十以學易，可以無大過矣」。史記孔子世家本此而稍變，其辭謂「假我數年，若是，我於易則彬彬之矣」。子路「子曰，南人有言曰，人而無恆，不可以作巫醫，善夫。不恆其德，或承之羞。子曰，不占而已矣」。這裏所引的是恆卦九三的爻辭。

注六二：這是我的推測。秦進入春秋時代，即扮演重要的角色，但國語中無秦語。而戰國時代的秦紀尚不記月日，則此推測當爲可信。

注六三：左僖十五年「…故秦伯伐晉，卜徒父筮之，吉…，其卦遇蠱曰，千乘三去。三去之餘，獲其雄狐…」杜注「於周易利涉大川……今此所言，蓋卜筮書雜辭。」

注六四：據周易正義卷之一「第四論卦辭爻辭誰作」，鄭康成一派主張皆文王作。馬融陸績皆「以爲卦辭文王，爻辭周公」，皆不可信。

注六五：按晉書卷三武帝紀咸寧五年「冬十月戊寅……汲郡人不準掘魏襄王塚，得竹簡古書十餘萬言，藏於秘府」。衞恆傳，杜預春秋左氏經傳集解後序正義引王隱晉書束晳傳作太康元年，即咸寧五年之次年。此處及荀勗穆天子傳序作太康二年。雷學淇竹書紀年考證謂「帝紀之說，錄其實也。就官收以後，上於帝京時言，故曰太康元年。束晳傳云二年，或命官校理年也」。又王隱晉書束晳傳魏襄王作魏釐王。

注六六：周易正義卷第一「第六論夫子十翼：其彖象等十翼之辭，以爲孔子所作，先儒更無異論。但數十翼，亦有多家……故一家數十翼之上彖一，下彖二，上象三，下象四，上繫五，下繫六，文言七，說卦八，序卦九，雜卦十，鄭學之徒，並同此說，故鄭亦依之。」

注六七：所謂實象，是以實物作象徵，如乾爲天，坤爲地之類。

注六八：如閔元年「屯固比入」之類。「固」爲屯的性格，「入」爲比的性格。

注六九：拙文收入拙著兩漢思想史卷三。

注七〇：見孟子離婁下。

注七一：杜預春秋左氏傳序「仲尼因魯史策書成文，考其眞僞而志其典禮。上以遵周公之遺制，下以明將來之法……蓋周公之志，仲尼從而明之也」，如此則孔子所取之義，毫無著落。

注七二：孟子萬章下引泰誓語。但對周初的民本思想有概括性。

注七三：我在孟子政治思想的基本結構及人治與法治問題的拙文中有較詳細的敍述。此文收入中國思想史論集頁一三三——四一。

注七四：見孟子梁惠王下「莊暴見孟子曰……」章。

注七五：孟子離婁上「仁之實，事親是也」章。

注七六：此處所列數字，恐稍有遺漏。引國風者，公孫丑上「仁則榮」章引邠風鴟鴞「迨天之未陰雨……」。萬章上「萬章問曰」章引齊風南山「娶妻如之何……」。告子章下評高子論詩章，公孫丑問凱風何以不怨，凱風原邶風。盡心下「貉稽曰」章引邶風柏舟「憂心悄悄……」。

注七七：例如梁惠王上引詩大雅思齊「刑于寡妻」三句，以爲「推恩」之證，此例最多。尤以兩引「孔子曰」之例，最爲顯著。公孫丑上「仁則榮」章，引豳風鴟鴞「迨天之未陰雨」五句接着引「孔子曰爲此詩者其知道乎！能治其國家，誰敢侮之」，以證其「仁則榮」的論點。告子上公都子問性章引大雅烝民四句，接着引「孔子曰，爲此詩者其知道乎！故有物必有則，民之秉彝也，故好是懿德」以證明其性善說的論點。梁惠王上孟子答梁惠王「賢者亦樂此乎」之問，引大雅靈台「經始靈台」十二句，即在陳述歷史事實；其例亦甚多。

注七八：按孟子的口氣，是以小弁爲幽王之太子宜咎所自作。詩序則以爲「太子之傅作」。由詩之內容，以孟子之說爲正。

注七九：見禮記經解。我曾有釋溫柔敦厚一文，收入中國文學論集。

注八〇：如「奚暇治禮義哉」（梁惠王上）「禮義由賢者出」（公孫丑上）「言非禮義謂之自暴也」（離婁上）「無禮義則上下亂」。（盡心下）。

注八一：「孟子曰，人皆有不忍人之心……惻隱之心，仁之端也，羞惡之心，義之端也，辭讓之心，禮之端也，是非之心，智之端也。人之有是四端者，猶其有四體也」（公孫丑上）此意又見於告子上與公都子論性而謂「惻隱之心，仁也。羞惡之心，義也。恭敬之心，禮也。是非之心，智也。仁義禮智，非由外鑠我也，我固有之也。」

注八二：盡心上「孟子曰廣土衆民」章。

注八三：萬章下「萬章曰不見諸侯何義也」章。

注八四：滕文公上「滕定公薨」章。

注八五：滕文公下「公都子曰，外人皆稱夫子好辯，何也」章。對此處的解釋，具見於拙文原史，收入兩漢思想史卷三。

注八六：離婁下「孟子曰。王者之跡息而詩亡」章。其解釋亦具見於原史。

注八七：荀子楊注「經謂詩書」；就下文「故書者政事之紀也，詩者中聲之所止也；禮者法之大分，類之綱紀也」數語觀之，楊注甚確。

注八八：二、三兩點，我在荀子政治思想的解析一文中，有較詳細的陳述。此文收入學術與政治之間。

注八九：大略篇「春秋賢穆公，以為能變也」。見公羊文十二年傳。又「故春秋羊曾胥命」見公羊桓三年傳。

注九〇：此依孫詒讓的墨子傳略及墨子年表。

注九一：（一）所染篇「詩曰必擇所堪」逸詩。（二）尚賢中「詩曰告汝憂卹」，大雅桑柔。（三）尚賢中「周頌道之曰若地之固……」不知所出。（四）尚同中「是以先王之書周頌之道之曰」引周頌戴見。（五）

又「詩曰，我馬維駱」引小雅皇皇者華。（六）「又曰……」同上。（七）兼愛下「周詩曰……其直若矢……」引小雅大東。（八）兼愛下「大雅之所道曰」引大雅抑篇。（九）天志中「皇矣道之曰」引大雅皇矣。（十）天志下「於先王之書大夏之道之然」引大雅皇矣。（十一）明鬼下「子墨子曰，周書大雅有之」引大雅文王。（十二）公孟「或以不喪之閒，誦詩三百，弦詩三百，歌詩三百舞，詩三百」。按此處所謂誦詩三百一連四句，蓋言詩三百篇有時而誦，有時而弦，有時而歌，有時而舞，非謂各有三百。

注九二：（一）七患「故曰以其極賞」，似出於周書命訓。（二）七患「周書曰國無三年之食者，非其國也…」似出自周書又傳篇引夏箴。（三）「於先王之書，豎年之言……」似出於周書皇門篇。

注九三：節用下「古者堯治天下，南撫交阯……莫不賓服」。

注九四：（一）七患「夏書曰，禹七年水」。（二）兼愛下「雖禹誓卽亦猶是也…」此爲僞大禹謨所引。（三）明鬼下「夏書禹誓曰…」卽書甘誓全文。（四）非樂上「於武觀曰…」惠棟謂「此逸書敍武觀之事，卽書敍之五子也」。（五）非命中「禹之總德有之曰……」間詁引蘇云，總德蓋逸書篇名。

注九五：（一）七患「殷書曰，湯五年旱」。（二）尚賢中「湯誓曰，聿求元聖，與之戮力同心，以治天下」，間詁：「今湯誓無此文，僞古文摭此爲湯誥，謬」。（三）尚同中「是以先王之書術令之道曰，唯口出好興戎」，「詒讓按術令，當是說命之假字。禮記緇衣云，「兌命曰，惟口起羞……」鄭注云，「兌當爲說，謂殷高宗的臣傅說也。……晉人作僞古文書不悟，乃以竄入大禹謨，疏謬殊甚」。按國語楚語記申叔時告士亹以傳太子之方中，有「令」，與詩禮等並舉，或卽此處之所謂「術令」。（四）兼愛下「雖湯說卽亦猶是也。湯曰」，爲僞湯誥所襲用。國語周語內史過引湯誓，與此略同。（五）明鬼下「商書曰嗚呼，古者有夏……」。（六）非樂上「先王之書，湯之官刑有之……」，其中多爲僞古文伊訓所襲用。（七）非命上「先王之憲，亦嘗有曰，有福不可請，有禍不可諱（違）」，閒詁：「禮記緇衣太甲曰，天作孽，猶可違也」。（八）非命上「於仲虺之誥曰……」。（九）非命中「仲虺之告曰……」又見非命下。

注九六：尚賢中「先王之書呂刑道之曰……」。（二）尚賢中「於先王之書呂刑之書然……」。（三）尚同中「是以先王之書呂刑之道曰……」。（四）尚同下「於先王之書也大誓之言然曰，小人見姦巧，乃聞不言也，發罪鈞」，閒詁引「畢云，孔書無此文」。（五）兼愛中「昔者文王之治西土……」「詒讓按，今僞古文泰誓卽采此。（六）兼愛中「傳曰，泰山有道，曾孫周王有事」，閒詁「僞古文書武成襲此文云……」。（七）兼愛下「泰誓曰，文王若曰，若月乍照，光於四方于西土」。僞泰誓襲此而文字略有不同。（八）兼愛下「周詩卽亦猶是也。周詩曰，王道蕩蕩……」此四句爲洪範文。（九）非攻中「是故子墨子言曰古者有語曰，君子不鏡於水，而鏡於人……」閒詁引「蘇云，酒誥篇云，古人有言曰，人無於水監，當於民監。」（十）天志中「太誓之道之曰……」。（十一）明鬼下「於古曰，吉日丁卯，周代祝社方……」。（十二）非命上「於太誓曰，紂夷處，不肯事上帝鬼神……」，僞泰誓襲此而文字略有不同。（十三）非命中「先王之書，太誓之言然曰……」。（十四）非命中「武王以太誓非之」。（十五）非命中「於台公之執令於然……」，閒詁「亦周書佚篇之文」。（十六）非命下「太誓之言也，於去發……」僞泰誓襲此文而文字略有不同。（十七）公孟「故先王之書，子亦有之曰……」，閒詁引戴云「子亦疑當作六子，六古其字。其子卽箕子。周書有箕子篇，今亡。」

注九七：明鬼下「著在周之春秋」「著在宋之春秋」「著在齊之春秋」。非命上「有（又）於三代不（百）國有之曰……」詒讓案，三代百國，或皆古史記之名。隋書李德林傳及史通六家篇「吾見百國春秋」。

注九八：史記六國年表序：「秦既得志，燒天下詩書，諸侯史記尤甚……而史記獨藏周室，以故滅」。

注九九：「心齋」見莊子人間世；「坐忘」見莊子大宗師。

注一〇〇：我在中國人性論史先秦篇頁三五九——三六〇。有較詳細的討論。

注一〇一：此點我在兩漢思想史卷三原史一文中有較詳細敍述。具見頁二六六——二六八及附注八二。

注一〇二：見外儲說右上第三十四經「在子夏之說春秋也」。

注一〇三：（一）卷三先己「詩曰淑人君子……」四句。（二）又「詩曰執轡如組」。（三）卷五古樂「周公旦乃作詩曰文王在上」四句，（四）卷八愛士「此詩之所謂曰，君君則正，以行其德」。此不知所出。（五）卷十安死「詩曰不敢暴虎」四句。（六）卷十三務本「詩云有晻淒淒」四句。（七）卷十三務本「大雅曰，上帝臨汝，無貳爾心」。（八）卷十四愼人篇「舜自爲詩，普天之下，莫非王土，率土之濱，莫非王臣」。（九）卷十五報更「故詩曰，赳赳武夫，公侯干城（周南兎罝），濟濟多士，文王以寧」（大雅文王）。（十）卷二十三原亂「故詩曰，毋過亂門，所以致遠之也」，高誘注「逸詩也」。

注一〇四：（一）卷一貴公「故洪範曰偏無黨，王道蕩蕩。無偏無頗，遵王之義。無或作好，遵王之道。無或作惡，遵王之路」。（二）卷十三諭大「夏書曰天子之德，廣運乃神，乃武乃文」高注「逸書也」。按僞大禹謨取此而文字小異。（三）卷十三諭大「商書，五世之廟，可以觀怪」高注「逸書」。（四）卷十五報更「此書之所謂德幾無小者也」，許維遹按，此逸書文。今僞古文伊訓摭拾墨子明鬼篇及此文而改之曰，爾維德罔小……」（五）卷十九適威「周書曰，民善之則畜也。不善則仇也」。高注「周書，周公所作」。此釋無意義，當亦云逸書。僞泰誓下「古人有言曰，撫我則后，虐我則仇」，疑出於此。（六）卷二十驕恣「王曰仲虺有言，不穀悅之。曰，諸侯之德，能自爲取師者王，能自取友者存。其所擇而莫如己者亡」，按高誘亦當注爲逸書。其未注明者，乃一時之疏失。爲仲虺之誥引作「能自得師者王，謂人莫己若者亡」。

注一〇五：（一）卷十三務本「易曰，復自道，何其咎，吉（小畜初九爻辭）。以言本無異，則動卒有喜」。（二）卷十五愼大覽「愬愬（恐懼貌）履虎尾，終吉」。按此履卦九四爻辭。通行本愬愬兩字在「終」

字上。（三）卷二。召類「易曰渙其羣，元吉（渙六四爻辭）渙者賢也。羣者衆也。元者吉之始也，元吉者其佐多賢也」。（四）卷二十二行「孔子卜得賁，孔子曰不吉。子貢曰，夫賁亦好矣，何謂不吉乎。孔子曰，夫白而白，黑而黑。夫賁又何好乎？」高注「賁，白不純也」。

注一〇六：見中庸「仲尼祖述堯舜」章。

注一〇七：例如卷一貴公「孔子聞之曰，去其荊而可矣。老聃聞之曰，去其人而可矣。」卷四尊師「顏涿聚，梁父之大盜也，學於孔子。……高何懸子石，齊國之暴者也，指於鄉曲，學於子墨子。」卷十三諭大「孔丘墨翟，行大道於世而不成」。卷二十三順說「惠盎對曰，子墨是也。孔丘墨翟，無地爲君……其賢於孔墨也遠矣」，卷二十四博志「蓋聞孔丘墨翟，晝日諷誦習業……」卷二十六上農「孔墨欲行大道於世而不成」。漢代墨學已衰微，而西漢常孔墨並稱，卽係受此影響。

注一〇八：卷十六觀世「子列子窮，容貌有飢色。客有言之於鄭子陽者……」高注「子列子禦寇，體道人也，著書八篇」。此故事見於列子說符及莊子讓王篇。卷十七不二篇「子列子貴虛」。

注一〇九：卷二貴生「子華子曰，全生爲上，虧生次之，死次之，迫生爲下」。卷三先己「故子華子曰，丘陵成而穴者安矣。大水深淵成而魚鼈安矣。松柏成而涂之人已蔭矣。」卷四誣徒「子華子曰王者樂其所以王，亡者亦樂其所以亡……」。卷六明理「子華子曰夫亂世之民，長短頡訐百疾，民多疾癘，道多褓襁，盲禿傴尫，萬怪皆生……」。卷十七知度「故子華子曰，厚而不博，敬守一事，正性是喜，羣衆不周，而務成一能。盡（按疑當作「事」）能既成，四夷乃平。」卷二十一審爲「韓魏相與爭地。子華子見昭釐侯，昭釐侯有憂色……」。

注一一〇：說文十三上「經，織從絲也」。從絲是織時的直線。穿梭的橫線稱爲緯。

注一一一：經解由「故衡誠縣，不可欺以曲直」，至「不隆禮，不由禮，謂之無方之民」一段，出於荀子禮論。

注一一二：我有漢初的啓蒙思想家——陸賈一文，收入兩漢思想史卷二，對新語有較詳細的研究。對於新語中提及五經六藝的情形，具見於此文的附注十八。

注一一三：據一九七四年九月文物曉菡長沙馬王堆帛書概述：帛書周易卷後有佚書三篇，都是對易本文的解釋。第一篇卷尾殘缺，存三十五字。第二篇卷首殘缺，存十八行，篇題爲「要」，一千六百八十四字。上兩篇皆假托，孔子與其弟子對易的問答，其中屢出子貢之名。第三篇題爲「昭力」，共六千字。內容是傳易之人，與繆和、呂昌、吳孟、張射、李平、昭力等人的問答之辭。此亦可反映出經典在傳承中係集體的活動。

西漢經學史

一、博士性格的演變

㈠ 博士成立的背景及其基本性格

如後所述，史記儒林列傳，是以五經博士爲骨幹而創立的；即此一端，已可了解博士在經學中的重要地位。但博士的性格，在歷史上有所演變。爲防止因博士性格的混淆以致引起經學傳承上的混淆，對這種演變，應先釐別消楚。

博士的基本性格，和它以孔子之教爲背景因而得出現此一官制，有密切關係。論語「博學於文」（注一），這是孔門別異於其他諸子百家的重要學風與傳統之一（注二）。博學於文的「文」，當然以詩書六藝之文爲主，但「夫子之至於是邦也；必聞（了解之意）其政」（注三）；也應包括在博文的「博」裡面；博士之博，當由此而來。

士由精壯的農夫、武士，演進而爲政治中的下級屬僚，有很長的歷史（注四）。但通過論語看，到了孔子，卻努力於士的新性格，新形像的塑造。他說「士志於道，而恥惡衣惡食者，未足與議也」（里仁）。「士而懷居，不可以爲士矣」（憲問）。「志士仁人，無求生以害仁，有殺身以成仁」（衞靈公）「曾子曰：士不可以不弘毅，任重而道遠。仁以爲己任，不亦重乎！死而後已，不亦遠乎！」（泰伯）。其他對門弟子的教導，都可以說是塑造新性格新形像的努力。正因爲如此，所以子貢、子路，都提出了「何如斯可謂之士矣」（子路）的問題。「子張問士何如斯可謂之達矣」（顏淵），也是對此問題的另一種提法。孔子針對各人才質的不同，而所答各異，但由顏淵說「夫子博我以文，約我以禮」，及孔子單獨提出「君子博學於文，約之以禮」，以及「多聞闕疑」「多見闕殆」（注五）等情形看來，博學在士的新性格新形像的塑造中，成爲重要條件之一。把博學與新塑造的士結合在一起而出現「博士」的名稱，這是自然的演進。今日可以考見的博士一官，首見於與子思同時的魯公儀休（注六），從博士得以成立的思想背景看，這並非偶然的。

此一代表知識的新興官制，在七國爭雄，競爭劇烈的時代，可能漸次推廣。但因地位不高，業非繁劇，見之記載的甚少。現時還在文獻上存有痕跡的，只有褚少孫補史記龜策列傳的「宋元王博士衞平」（注七）及漢書五十一賈山傳「祖父祛故魏王時，博士弟子也」。賈祛既是博士弟子，當然魏也有博士。王國維氏嘗疑「魯宋當時未必置「博士」一官，史記所云博士者，猶言儒生云爾。惟賈袪爲魏王博士弟子，則戰國末確有此官。」此蓋昧於博士得以成立的文化背景，又忽於新制度之出現，多由漸而致的原因（注八）。

秦統一天下，整齊六國官制以爲統一的官制時，設置博士七十人（注九）。雖秩卑祿薄（注一〇），但以其代表知識，得參與朝廷大議，在官制中最具意義。

因博士在秦已成爲一定的官制，所以陳涉以戍卒揭竿，尙以孔鮒爲博士（注一一）。漢高祖於兵馬倥傯之際，亦以叔孫通爲博士（注一二）。惠帝時可考見的博士有孔鮒弟子孔襄（注一三）。文帝時休養生息，文物漸盛，始有博士七十餘人（注一四）。以當時情事推之，博士固無一定的員額。景帝時可考見的博士，有董仲舒、轅固、胡毋（注一五）諸人，然實際決不止此數。武帝在建元五年（西前一三八年）未置五經博士以前所置博士，「取學通行修、博學多藝、曉古文、爾雅，能屬文章者爲高第（注一六）。」這雖注入有當時學術風氣的特性，但依然是承「博學於文」的傳統而推演下來的，也與戰國之初，博士出現以後的基本性格，是約略相同的。我把在這一長時期所出現的博士，方便稱之爲「雜學博士」，這是博士演變的第一階段。此階段博士的性格，可概括爲三點。

第一點：設置博士的原來目的，在使其以知識參與政治，而不在發展學術。

第二點：博士在政治中無一定的職掌，亦無一定的員額；其任務是由皇帝臨時諮詢、指派的。漢書十九百官公卿表：「博士，秦官。掌通古今（按此乃知識而非職掌）；秩比六百石。員多至數十人」。正指此一階段的情形而言。若皇帝無所諮詢，無所指派，則博士無所事事。按照正常的情形，國有疑事則問，朝有大議則參加。其臨時派遣的有出使絕域，循行郡國，劾貪暴，擧賢才，錄冤獄等（注一七）。甚至武帝因怒博士狄山責張湯爲「詐忠」，竟派他到與匈奴交界的地方去看守一個防禦據點（「乘障」），被匈奴斬首而去，但這並不算正式的貶謫。

第三點：因博士得以成立的文化背景，所以其人選多來自儒生。史記封禪書言始皇「卽帝位三年東巡郡縣，於是徵從齊魯之儒生博士七十人，至乎泰山之下」。此處以「儒生博士」爲複詞，卽博士來自儒生之證。但皇帝認爲合乎他個人需要的，不是儒生，也可任爲博士。史記秦始皇本紀，三十四年，李斯奏請「非博士官所職，天下敢有藏詩書百家語者，悉詣守尉雜燒之」。是博士中不僅藏有詩書，而且有的是藏「百家語」的。此可反映出治百家語者亦可爲博士。而漢文帝拜術士公孫臣爲博士（注一八）亦可推知秦博士七十人中，必有方術之士。在以儒生而爲博士的人們中，他們所習的當然以五經及儒家傳記爲主；且於博學中亦可能各有專門之業，甚且以某專門之業知名，因而得爲博士；但博士乃代表知識，並非代表知識來源的某一典籍。有如儒林傳中說周霸、衡胡、主父偃們，「皆以易至大官」，而他們的大官並非代表易的情形正同。趙岐孟子章句題辭謂「孝文皇帝欲廣文學之路，論語、孝經、孟子、爾雅，皆置博士」；此與劉歆讓太常博士書：「至孝文皇帝……天下衆書，往往頗出，皆諸子傳說，猶廣立於學官，爲置博士」之言相合，是可以信任的；但也容易引起誤解。劉歆之言，係用對比的方法，爲古文爭立博士而發；實則孝文時，有的是以治「諸子傳說」出名，有的是以治「論語、孝經、孟子、爾雅」出名，因而得爲博士，但並非爲「諸子傳說」「論語、孝經、孟子、爾雅」立博士。由此推之，韓嬰孝文時爲博士，並非爲他所治的詩與易而設，這和賈誼此時爲博士，並非爲他所治的禮或左氏傳而設者正同。轅固、胡母、董仲舒爲景帝時博士（注一九）的情形，也是如此。否則武帝立五經博士時，不會發生董仲舒與江公，爲公羊與穀梁爭立之事，因爲胡毋、董仲舒早因治公羊而爲博士了，何待此時之廷爭。王國維謂「是專經博士，文景時已有」之說，可斷言是錯誤的。這中間可能有一個例外，即是文帝「聞申公爲詩最精，以爲博士」（注二〇），可能這是爲詩立了博士；後漢書翟輔傳「孝文皇帝始置一經博士」（注二一），當指此而言。所以儒林傳贊言武帝立博士僅稱時「書唯有歐陽，禮后，易楊、春秋公羊而已」，未曾提到詩。因爲詩早於文帝時立了。

(二) 博士演變之第二階段及其性格

五經博士之成立，爲博士演變之第二階段。

漢書六武帝紀建元元年「冬十月，詔丞相御史列侯中二千石二千石諸侯相舉賢良方正直言極諫之士。丞相綰（師古：『衞綰也』）奏所舉賢良或治申、商、韓非、張儀、蘇秦之言，亂國政，請皆罷，奏可」。按漢文帝本好刑名之學，而朝錯以申韓之術授太子（後爲景帝），漢繼承秦之刑法，思想上亦出於法家；是申、商、韓非之說，不應爲漢廷所忌。特當時有人資蘇秦、張儀之術，以客遊於諸侯王間，於是縱橫家言，爲朝廷所深惡。衞綰乃以申、商、韓非，作張儀、蘇秦的陪襯。但此爲罷黜百家，獨進儒術的一個重要機緣。同時衞綰之「請皆罷」，乃罷去有縱橫意味的一部分人，並不是把這一次所舉的完全罷掉。

直接促成五經博士成立的，是董仲舒的對策，這便關係於對策的時間問題。漢書五十六董仲舒傳：「武帝卽位，舉賢良文學之士，前後百數，而仲舒以賢良對策焉」。對策三的末段謂：「春秋大一統者，天下之常經，古今之通誼也。今師異道，人異論，百家殊方，指意不同，是以上無以持一統；法制數變，下不知所守。臣愚以爲諸不在六藝之科，孔子之術者，皆絕其道，勿使並進；邪辟（僻）之說滅息，然後統紀可一，而法度可明，民知所從矣」。據武帝紀，立五經博士，乃建元五年（前一三六年）夏四月以前之事。武帝紀將仲舒對策，繫於元光元年（西前一三四年），卽在立五經博士之後二年；若如此，則仲舒在對策中「皆絕其道，勿使並進」之言，卽是勿使習諸子百家之言的學者，得與儒者並進而爲博士之言，爲無的放矢。因爲旣已立五經博士，卽是已經不使習諸子百家之言者得以並進。所以王先謙在武帝紀「於是董仲舒、公孫弘等出焉」下謂：「仲舒對策，實在建元元年（前一四〇年），無可疑者」，這是正確的（注二二）。改變有長久歷史的雜學博士爲五經博士，是一件大事；仲舒對策後之四年始見實行，這是合於情理的。

五經博士自身，也有一種發展。漢書儒林傳贊：「初，書唯有歐陽，禮后（后蒼）、易何（楊何）、春秋公羊而已」。再加上文帝時爲詩所立的博士，這卽是所謂「五經博士」。漢書八宣帝紀甘露三年（西前五一年）「詔諸儒講五經同異（於石渠）、太子太傅蕭望之等平奏其議，上親稱制臨決焉。乃立梁邱易，大小夏侯尚書，穀梁春秋博士」。而百官公卿表序謂：「宣帝黃龍元年（前四九年）增（博士）員至十二人」，則石渠聚議後兩年，又繼續有所增立，爲漢書所缺記。十二博士之數，王國維就有記載的「參互考之」，「易則施、孟、梁邱，書則歐陽、大小夏侯，詩則齊、魯、韓，禮則后氏，春秋公羊、穀梁」（注二三）當爲可信。漢書儒林傳贊「至元帝世，又立京氏易」，是由十二博士增爲十三博士。後漢書范升傳：「京氏雖立，轉復見廢」。按京氏易的「卦氣說」，在宣、元後成爲漢易的主流；其所以見廢者，殆因其出於孟喜，爲孟氏易所概括，博士依然爲十二人。儒林傳贊「平帝時又立左氏春秋、毛詩、逸禮、古文尚書」。王莽傳「元始四年立樂經、益博士員、經各五人」。荀悅漢紀：「劉歆以周官經六篇爲周禮。王莽時，歆奏以爲禮經，置博士」。按平帝及王莽時所增置博士，因禍變相乘，時間短促，未能給東漢以影響。言西漢博士者，應以武、宣時代所置的爲基線去加以把握。此階段博士的性格、亦可略擧以三：

第一、五經博士雖依然繼承傳統的諮詢，派遣等臨時政治任務，但過去的雜學博士並無專門職掌，至此則各以其所代表之經爲其專門職掌。若僅從這一點說，加強了學術的意味。

第二、對五經的地位，過去是由私人，由社會所自由評定的；至此則五經取得政治上的法定權威地位。過去博士僅以其知識而存在，至此則主要以其所代表之典藉（經）而存在。而每一博士所代表者僅爲一經，勢不得不走向與「博學」相反的「專經」之路。因此不僅過去博士知識之來源較廣，現時則知識的來源較狹；且無形中，使典藉的地位，重於知識的地位，博士對自己所代表之典藉負責，重於對知識負責。

第三、對經的解釋，過去是由社會自由進行，自由選擇的；至此，則被擧爲某經博士之人，他對自己代表的經所作的解釋，即成爲權威的解釋。並且自然演進爲「經的法定權威地位」，實際成爲博士們所作解釋的法定權威地位。宣帝爲什麼要費那樣大的氣力來開石渠會議，始能贏得穀梁立官，因爲這是對公羊博士們乃至對整個博士們的法定權威挑戰。應由此一觀點去了解以後所發生的今古文之爭的形勢與實質意義。

㈢ 博士演變之第三階段及其性格

爲博士置弟子，是博士演變的第三階段。

史記儒林列傳以嘆息之聲，詳錄了公孫弘應「太常其議與博士弟子」之制，爲漢書儒林傳所承。公孫弘在應制中奏請「爲博士官置弟子五十人」，據漢書武帝紀，是元朔五年（西前一二五年）夏六月間的事；上距置五經博士，凡十有五年。據漢書儒林傳「昭帝時擧賢良文學，增博士弟子員滿百人。宣帝末倍增之。元帝好儒，能通一經者皆復（免其兵役力役，按卽不設員額限制之意）。數年以用度不足，更爲設員千人。郡縣置五經百石卒史。成帝末，或言孔子布衣，養徒千人。今天子太學弟子少；於是增弟子員三千人。歲餘復如故」。弟子員在人數上的演進，也卽是太學規模的擴大，益接近今日的所謂「大學」。

欲了解博士在此階段的性格、意義，首先應澄清由王國維所引起的一種誤解。他在「漢魏博士考」中一則曰：「又始皇本紀有諸生；叔孫通傳則連言博士諸生，是秦博士亦置弟子」。再則曰：「博士自六國秦時已有弟子，漢興仍之」。更引漢書賈山傳「祖祛，故魏王時博士弟子也」，及叔孫通傳之「諸生」爲證。按博士弟子固可稱「諸生」，但此非「諸生」一詞唯一的指謂。叔孫通傳「二世召博士諸儒生問曰」，又「博士諸生三十餘人前曰」，上稱「諸儒生」，下稱「諸生」，可知「諸生」原爲「諸儒生」的簡稱。封禪書亦稱「博士諸生」（注二四）；博士是儒生，亦有非博士而得與博士同列的儒生，例如議郎等；更有社會上的儒生。由「諸儒生」省稱爲「諸生」一詞，指謂甚廣，它可以概括博士，但「博士」一詞不能概括「諸生」。故叔孫通傳「博士諸生三十餘人前曰」一語後，即僅稱「諸生」。例如「叔孫通曰，諸生言皆非也」；此諸生卽將博士概括在裏面。封禪書「上與公卿諸生議封禪」，此諸生亦將博士概括在裏面。否則豈有博士弟子而可與公卿共議封禪之理。且史記褚少孫滑稽列傳補：「金馬門者，宦署門也。……時合聚宮下，博士諸先生與共議」。漢時常將「先生」一詞省稱爲「生」，則「諸生」一詞，有時亦爲「諸先生」之省。叔孫通傳「於是叔孫通使徵魯諸生三十餘人」，難道說這也是博士的弟子嗎？叔孫通稱他的「諸弟子儒生」爲諸生，乃是對弟子較客氣的稱呼，不能轉用到其他場合。至賈山傳：「祖祛，故魏王時博士弟子也」的弟子，也如叔孫通傳載他降漢時「從儒生弟子百餘人」的情形一樣，這都是博士私人的弟子。漢書循吏傳記文翁於景帝末爲蜀郡守，「選郡縣小吏開敏有材者張叔等十餘人，遣詣京師，受業博士」。此時五經博士未立，這也是受地方長吏之托的私人弟子。與有一定員額、一定待遇、其推選、考覈、任用、皆有一定程序，並著爲功令的博士弟子員、性格完全不同。博士弟子員的設置，是歷史中的一件大事，所以司馬遷及班固，特詳加紀錄。

設置博士弟子員後的博士性格，亦可概括爲三點。

第一、博士除依然繼承前兩階段的性格外，至此而增加以教授爲業的固定職掌。且博士任務的重點，亦漸向此方面轉移。而自戰國末期；儒家所提倡的理想性的大學學制，至此而得具體實現（注二五）。此在教育史上的意義特爲重大。

第二、因有固定的弟子員進入到政府各部門各層級中去，博士的影響力加大。所謂「儒林之官，四海淵源」（注二六），可能主要由此而來。博士的教授，隨博士在經學中的合法權威地位而亦獲得合法權威的地位，「師法」的觀念，遂由此產生。師法觀念，是爲了維繫博士教授的權威而形成的，在學習上是一種限制，恐爲前此所未有。

第三、博士專守一經乃至經中的一傳，如公羊傳、穀梁傳，知識活動範圍既狹，又須展轉相傳，以教授弟子，於是在故訓、傳說之外，又興起章句之學，「一經說至百餘萬言」（注二七）勢必流於空疏傅會，甚至出之以神怪（注二八），成爲經義了解的一大障礙；後漢書卷三章帝建初四年（西七六年）十一月壬戌詔中有謂「中元元年（光武帝崩前一年）詔書……章句繁多，議欲減省」；建初八年詔謂「章句遺辭，乖疑難正」。又列傳二十七桓榮傳：「初，榮受朱普學，章句四十萬言，浮辭繁長，多過其實」。卽足證明這一點。於是删節章句，成爲爾後治經中的一項重要工作；而章句本身，卒無傳於後世。這創下了政治直接介入學術教育中所出現的最早的惡例。

公孫弘在應制中，規定了弟子員課試的方法，及由課試高下以進入政府各部門、各層級的途徑。這對政治而言，增加了機構中的文化因素，此卽儒林列傳中所謂「則公卿大夫士吏，彬彬多文學之士」，應當算是好的一面。但對學術而言，把學術直接與利祿連在一起，於是眞正爲學術而努力的，遠不及「蓋利祿之路然也」（漢書儒林傳贊中語）的風氣，使學術虛僞化，形骸化，開爾後科舉毒害的先河。司馬遷、班固在傳序與傳贊中的嘆息之聲，大概由此而來。

二、西漢經學傳承

(一) 史記儒林列傳與漢書儒林傳

爲了對經學傳承問題取得堅強的立足點，使不致被後起的錯誤乃至矯誣之說所誤導，我只得以漢書儒林傳爲主要材料，再以漢書藝文志及其他西漢有關材料作補充。現先將史漢兩傳作一簡單比較。

司馬遷創立儒林列傳，述漢初以迄中葉的儒生傳經之業及進身之階。班固漢書襲其成規，接其後事，直至王莽的講學大夫，囊括西漢一代傳經的全局，較史記儒林列傳較爲詳備。除此而外，兩傳在下述兩點上亦有所不同。

第一點、是五經的序列問題。「詩、書、禮、樂」的序列傳統始於春秋時代，至荀子而加入春秋，至出於秦代儒者之手的禮記中的經解而加入易（注二九）。經解的序列是詩、書、樂、易、禮、春秋；古人置辭不甚精密，若將禮換置於樂之上，則它是保持詩、書、禮、樂的傳統序列，而再加上易與春秋。賈誼新書卷八道德說中反復陳述六藝的意義，其序列以「書」居首，把傳統的「詩、書」，變更爲「書、詩」，這可能是出自意識的變更。史記儒林列傳的序列是詩、書、禮、易、春秋，與史記中其他地方提六藝的序列不同，我以爲這是以建立五經博士時的序列爲根據的。建立五經博士時的序列，反映在漢書儒林傳贊中「初書唯有歐陽、禮后、易楊、春秋公羊而已」的幾句話裏面。加上先立於文帝時代的詩而除去無經的樂，則爲詩、書、禮、易、春秋，與史記儒林列傳的序列正同。

但漢書儒林傳的序列是易、書、詩、禮、春秋，沒有採用他在贊中所根據的序列，這是班固受了劉歆的影響，以劉歆七略中六藝略的序列爲序列的。劉歆的三統歷，把律、歷、易三者揉合在一起以作天道的具體存在，所以在七略的六藝略中說易爲詩、書、禮、樂、春秋之原，（「而易爲之原」）。便把易位置於六藝之首。這是劉歆以前所沒有的新說。班固刪要七略以爲藝文志，更以七略中六藝略的序列，爲儒林傳中的序列。這是新的序列，遂爲後來經學家所傳承而不變。

第二點、是史記儒林列傳中未言及毛詩及左氏傳，這也是受到五經博士的限制。毛詩當時已流行，但不及三家詩流行之廣，史公之未言及，可以解釋是他被聞見所限。但他在十二諸侯年表序中，實以左氏傳傳春秋之意義大於公羊、穀梁；且十二諸侯年表及有關世家中，以採用左氏傳爲最多，且採左氏傳中的「君子曰」。則他在儒林列傳中不言及左氏傳，只能推及此乃因五經博士中未立左氏傳博士之故。古文尚書及穀梁傳亦未立博士，史公僅因孔安國本治今文尚書爲博士，因而提到古文尚書；因瑕丘江公曾與董仲舒爭論公羊、穀梁兩傳長短，因而提到穀梁傳；這種附帶提及，與漢書儒林傳將左氏傳、毛詩、古文尚書、穀梁傳（宣帝時已立博士）與其他經傳，作平列的提出，意義並不相同。史公時，五經博士建立不久，弊端尚未流露，並且我在論史記一文中，曾推論史公係以首屆博士弟子員優選爲郎，故史公秉五經博士的成規以創立儒林列傳。及五經博士之弊端日益顯著，爲劉歆、揚雄們所輕視；班氏受劉歆的影響，因而在秉承中，有所突破，使其更切近客觀事實，這一點應當算是難能可貴的。下面略仿明朱睦㮮授經圖（注三〇）之意，首列傳承表，再分錄漢書儒林傳及漢志六藝略互相參證補充，再加若干說明、考辨。

(二) 易的傳承及其傳承中的問題

魯商瞿—魯橋庇子庸—江東馯臂子弓—燕周醜子家—東武孫虞子乘—齊田何子裝

- 田何子裝
  - 東武王同
    - 淄川楊何
      - 京房（此爲文帝時人）
      - 司馬談（此據史記自序補）
    - 齊卽墨成
    - 廣川孟但
    - 魯周霸
    - 莒衡胡
    - 臨淄主父偃
  - 雒陽周王孫
    - 衛蔡公（依藝文志班注補）
  - 梁丁寬
  - 齊服生
  - 梁項生

（「要言易者本之田何」）

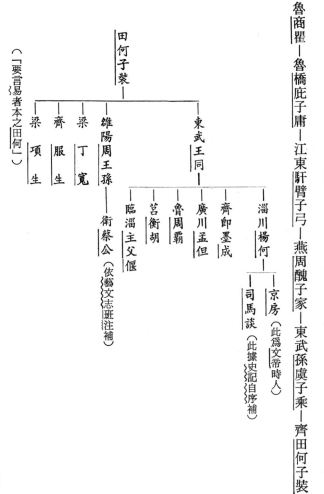

- 田何、周王孫
  - 丁寬
    - 碭田王孫（博士）
      - 沛施讎（博士）
      - 東海蘭陵孟喜
      - 琅邪梁丘賀

（「由是易有施、孟、梁丘之學」）

- 施讎
  - 琅邪梁丘臨（博士）
  - 河內張禹
    - 淮陽彭宣
    - 沛戴崇子平
  - 琅邪魯伯
    - 太山毛莫如少路
    - 琅邪邴丹曼容

（「由是施家有張、彭之學」）

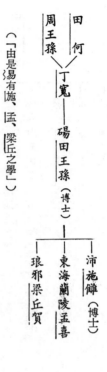

- 孟喜
  - 東海白光少子（博士）
  - 沛翟牧（博士）
  - 蓋寬饒（後從涿郡燕生受韓氏易）
  - ……蜀趙賓
  - ……焦延壽

（「由是孟家有翟、白之學」）

- 京房、田王孫
  - 梁丘賀
    - 梁丘臨
      - 琅邪王駿
      - 五鹿充宗
        - 平陵士孫張仲方（博士）
        - 沛鄧彭祖子夏
        - 齊衡咸長賓

（「由是梁丘有士孫、鄧、衡之學」）

- 梁焦延壽
  - 京房
    - 東海殷嘉
    - 河東姚平
    - 河南乘弘

（皆爲郎、博士）

（「由是易有京氏之學」）

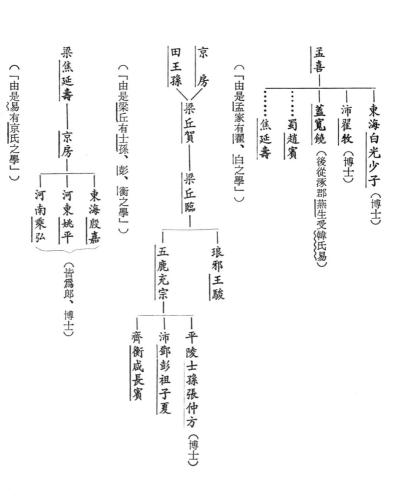

費直……琅邪王璜平中

丁寬……沛高相─┬─高康
　　　　　　　└─蘭陵毋將永

（「由是易有高氏學」）

（「高、費皆未嘗立於學官」）

表中「實線」爲直接傳承之可據者。「虛線」表示傳承之未確定，或世次不明者。後各表同。

儒林傳：「自魯商瞿子木受易孔子，以授魯橋庇子庸；子庸授江東馯臂子弓；子弓授燕周醜子家；子家授東武孫虞子乘；子乘授齊田何子裝。及秦禁學，易爲筮卜之書，獨不禁，故傳授者不絕也。漢興，田何以齊田徙杜陵，號杜田生，授東武王同子中、雒陽周王孫、丁寬、齊服生，皆著易傳數篇。同授淄川楊何，字叔元，元光中徵爲太（行）中大夫。齊卽墨成，至城陽相；廣川孟但，爲太子門大夫。魯周霸，莒衡胡，臨淄主父偃，皆以易至大官。要言易者本之田何。（史記作「然要言易者本於楊、何之家」）

丁寬字子襄，梁人一（也）。王（初），梁項生從田何受易，時寬爲項生從者，讀易精敏，材過項生，遂事何。學成，何謝寬。寬東歸，何謂門人曰：「易以東矣」。寬至雒陽，復從周王孫受古義，號周氏傳。景帝時，寬為梁孝王將軍，距吳楚，號丁將軍。作易說三萬言。訓故舉大義而已，今小章句是也（按後來針對博士們的章句而被稱為「小章句」）。寬授同郡碭田王孫。王孫授施讎、孟喜、梁丘賀。由是易有施、孟、梁丘之學。

施讎字長卿，沛人也。沛與碭相近。讎為童子，從田王孫受易。後讎徙長陵，田王孫為博士，復從卒業。與孟喜、梁丘賀並為門人。謙讓，常稱學廢，不教授。及梁丘賀為少府，事多，乃遣子臨分將門人張禹等從讎問，讎自匿不肯見。賀固請，不得已，迺授臨等。於是賀薦讎：「結髮事師數十年，賀不能及。」詔拜讎為博士。甘露中，與五經諸儒雜論同異於石渠閣。讎授張禹，琅邪魯伯，伯為會稽太守，禹至丞相。禹授淮陽彭宣，沛戴崇子平；崇為九卿，宣大司空。禹、宣皆有傳。魯伯授太山毛莫如少路，琅邪邴丹曼容，著清名；莫如至常山太守；此其知名者也。繇是施家有張、彭之學。

孟喜字長卿，東海蘭陵人也。父號孟卿，善為禮、春秋，授后蒼、疏廣。世所傳后氏禮、疏氏春秋，皆出孟卿。孟卿以禮經多，春秋繁雜，迺使喜從田王孫受易。喜好自稱譽，得易家候陰陽災變書。詐言師田生且死時，枕喜膝，獨傳喜，諸儒以此耀之。同門梁丘賀疏通證明之曰：「田生絕於施讎手中，時喜歸東海，安得此事？」又蜀人趙賓，好小數書。後為易，飾易文；

以爲「箕子明夷，陰陽氣亡箕子。箕子者，萬物方荄兹也」。賓持論巧慧，易家不能難，皆曰「非古法也」。云受孟喜，喜爲名之。後賓死，莫能持其說，喜因不肯仞（認），以此不見信。喜舉孝廉爲郎，曲臺署長，病免，爲丞相掾。博士缺，衆人薦喜，上聞喜改師法，遂不用喜。喜授同郡白光少子，沛翟牧子兄（師古：「兄讀曰況」），皆爲博士。繇是有翟、孟、白之學（錢大昕：「當云，孟家有白、翟之學」）。

梁丘賀，字長翁，琅邪諸人也。以能心計，爲武騎。從太中大夫京房受易。房者淄，川楊何弟子也。房出爲齊郡太守，賀更事田王孫。宣帝時，聞京房爲易明，求其門人、得賀。賀時爲都司空令，坐事，論免爲庶人，待詔黃門，數入說教侍中（師古：「為諸侍中說經為教授」）。以召賀，賀入說，上善之，以賀爲郎。會八月飲酎，行祠孝昭廟，先敺旄頭劍挺（師古：「劍自然引拔出也」）墮墜（地），首垂（臿）泥中，刄鄉（嚮）乘輿車，馬驚。於是召賀筮之，有兵謀，不吉。上還，使有司侍祠。是時霍氏外孫代郡太守任宣坐謀反誅。宣子章爲公車丞，亡在渭城界中，夜玄服入廟，居郎間，執戟立廟門，待上至，欲爲逆，發覺伏誅。故事，上常夜入廟，其後待明而入，自此始也。賀以筮有應，繇是近幸，爲太中大夫，給事中，至少府。爲人小心周密，上信重之。年老終官。傳子臨，亦入說，爲黃門郎。甘露中，奉使問諸儒於石渠。臨學精孰（熟），專行京房法。琅邪王吉，通五經，聞臨說，善之。時宣帝選高材郎十人從臨講，吉迺使其子郎中駿上疏從臨受易。臨代（授）五鹿充宗君孟爲少府，駿御史大夫，自有傳。充宗授平陵士孫張仲方（師古：「姓士孫，名張字仲方」），沛鄧彭祖子夏、齊衡咸長賓。張爲博士，至揚州牧，光祿大夫給事中，家世傳業。彭祖，眞定太傅；咸，王莽講學大夫。繇是梁丘有士孫、鄧、衡之學。

京房受易梁人焦延壽（注三二）。延壽云嘗從孟喜問易。會喜死。房以爲延壽易卽孟氏學。翟牧、白生不肯，皆曰非也。至成帝時，劉向校書，考易說，以爲諸易家說，皆祖田何、楊叔（脫「元」字）丁將軍，大誼略同。唯京氏爲異，黨焦延壽（注三三），獨得隱士之說，託之孟氏，不與相同。房以明災異得幸，爲石顯所譖誅，自有傳。房授東海殷嘉，河東姚平，河南乘弘，皆爲郎、博士。繇是易有京氏之學。

費直字長翁，東萊人也。治易爲郎，至單父令。長於卦筮，亡章句，徒以彖象繫辭十篇文言（文言，乃文字語言之意）解說上下經。琅邪王璜（溝洫志作「王橫」）平中（師古：「中讀曰仲」）能傳之。璜又傳古文尚書。

高相，沛人也。治易與費公同時。其學亦亡章句，專說陰陽災異，自言出於丁將軍，傳至相，相授子康，及蘭陵母將永；康以明易爲郎，永至豫章都尉。及王莽居攝，東郎太守翟誼謀擧兵誅莽，事未發，康候知東郡有兵，私語門人，門人上書言之。後數月，翟誼兵起，莽召問，對受師高康，莽惡之，以爲惑衆，斬康。繇是易有高氏學。高、費皆未嘗立於學官。

藝文志：

易經十二篇，施、孟、梁丘三家

易傳周氏二篇　班固原注（以後簡稱「原注」）「字王孫也。」

服氏二篇

楊氏二篇　原注：「名何字叔元，菑川人也。」

蔡公二篇　原注：「衛人，事周王孫。」

韓氏二篇　原注：「名嬰」

王氏二篇　原注：「名同」

丁氏八篇　原注：「名寬字子襄，梁人也。」

古五子十八篇　原注：「自甲子至壬子，說易陰陽」

淮南遺訓二篇　原注：「淮南王安聘明易者九人，號九師法」

古雜八十篇　雜災異三十五篇　神輸五篇

孟氏京房十五篇　災異孟氏京房六十六篇　五鹿充宗略說三篇　京氏段嘉十三篇　傳作殷嘉，殷乃段之誤，京房弟子。

章句施、孟、梁丘氏各二篇。

凡易十三家，二百九十四篇。

易曰：「宓戲氏仰觀象於天，俯觀法於地，觀鳥獸之文，與地之宜，近取諸身，遠取諸物，於是始作八卦，以通神明之德，以類萬物之情（師古：『下繫之辭』）」。至於殷周之際，紂在上位，逆天暴物；文王以諸侯順命而行道，天人之占，可得而效；於是重易六爻，作上下篇。孔氏爲之彖、象、繫辭、文言、序卦之屬十篇。故曰易道深矣。人更三聖，世歷三古。及秦燔書，而易爲筮卜之事，傳者不絕。漢興，田和（何）傳之。迄於宣元，有施、孟、梁丘、京氏，列於學官。而民間有費、高二家之說。劉向以中古文易經校施、孟、梁丘經，或脫去無咎，悔亡。唯費氏經與古文同。

1. 易在漢初以前的單線傳承問題

按在五經的傳承中，僅易敘及孔門以後的一線單傳的統緒，班氏蓋本之史記仲尼弟子列傳及儒林列傳。史記儒林列傳稱「孔子卒，商瞿傳易六世至齊人田何字子莊而漢興」。因弟子列傳中已備述六世的姓名，所以在儒林列傳中只簡稱「六世」；班氏所述，也正與「六世」相符合。至弟子列傳中的姓名、世次，是商瞿—楚人馯臂子弘—江東人矯子庸疵—燕人周子家豎—淳于人光子乘羽—田子莊何，與班氏所述者略有出入，字或因形近而誤，或因在傳承中而訛，這在資料來源的判定上是不關重要的。重要的是：此一故事的本身斷難成立。第一，孔門四科中的「文學(典籍之學)子游、子夏」，尚沒有留下傳經的顯明記載，何以獨有商瞿傳易的記載？而商瞿之名，除孔子家語外，在先秦略無可考。據弟子列傳贊，史公據以寫傳的基本材料，是出於古文弟子籍。所記皆僅及弟子的本身，未及弟子的弟子，可以推知弟子籍本未記載孔子的再傳弟子，何以獨對商瞿一直記載到漢初的田何？第三、在先秦援引及易的一切典籍中及長沙出土帛書中有關易的材料中，發現不出與此一傳承統緒有絲毫關連的痕跡。我的推測，易爲筮卜之書，賣卜之事，戰國時已流行於市井，漢初更數見不鮮。田何爲了推尊其術，故僞造此傳承統緒，以自別異於市井中筮卜之徒，通過他的再傳弟子楊何而傳到司馬談，司馬遷便援之以入傳。其後春秋三傳及毛詩的一線單傳統緒，皆爲了爭取地位而仿照此故事所先後僞造的。其不足信更不待論。

2.「言易者本之田何」及田何楊何的問題

其次要說明的是：傳中「要言易者本之田何之家」一語，不足以反映出漢初乃至西漢易學流傳情況的全貌。陸賈新語道基第一：「乾坤以仁和合，八卦以義相承」，是陸賈曾習易。賈誼新書引易者凡四（注三四）；韓嬰著有「韓氏二篇」；淮南王安「聘明易者九人」，漢志錄有淮南道訓二篇。這都與田何的統緒無關。且不僅民間有費氏易，與田何的統緒無關。若不承認京房易學與孟喜有關，係「獨得隱士之易」，固然不出自田何。卽承認京房易學出於孟喜，但孟喜易學的特色，乃來自他「得易家陰陽災變書」，此陰陽災變書因不出於田何的統緒，故爲同門梁丘賀所公開否認；則是孟氏易在實質上亦不出於田何。田何統緒中的關鍵人物丁寬，從周王孫受「古義」，周王孫雖爲田何及門弟子，然其古義當不出於田何，否則丁寬不必轉以同門爲師。漢志所錄「古五子」，古雜，雜災異，神輸等，大約屬於先秦以術數言易的另一系統，在西漢發生了相當大的影響，將傳、志參閱，亦非田何之學。所以「言易者本之田何」一語，可以說明田何易學三傳而至田王孫爲博士，四傳而至施、孟、梁丘，極一時之盛，成爲西漢易學主流，不可概括西漢易學的全貌。

傳贊「初書唯有歐陽、禮后、易楊」。此楊爲楊何。沈欽韓以爲「三家之易，不出於楊，易楊爲易田之誤」。按以年代推之，立五經博士時，田何殆已老死。楊何爲田何再傳弟子，得授易於司馬談，其年齡當長於司馬談。與司馬談爲同輩的田王孫在宣帝時爲博士，其年齡當小於楊何。故立五經博士時的易博士，應爲楊何，特爲史所缺記，而田王孫乃易的第二代博士。正因爲如此，司馬遷本五經博士之成規以立儒林列傳，便說「言易者本於楊何之家」。漢書儒林傳溯自漢初，故謂「要言易者本之田何」；傳贊言五經博士之始，故舉楊何而不能舉田何。兩者並無矛盾，且與司馬遷之說是相應的。

3. 師法問題

「師法」一詞，始以權威性出現於孟喜傳，即是衆推孟補博士缺，宣帝以他改師法不用。宣帝所以知道孟改師法，胡秉虔推測乃來自梁丘賀以少府得幸而進讒（注三五），是可以相信的。荀子儒效篇有「有師法者人之大寶也。無師法者人之大殃也」的話，沈欽韓們以爲漢代師法的觀念係由此出，這是一種誤解、傅會。荀子是以「師」與「法」爲兩事；所以儒效篇又說「故人無師無法而知，則必爲盜……有師有法而知，則速通」。荀子之所謂師，固與漢人所說的師無異；他之所謂法，則是指「一制度，隆禮義」的「制度」「禮義」而言，比漢人以師之所言者爲法，範圍廣得多。兩者之間，要說有關係，也只是「名言」上的關係，即漢人使用這一「名言」，可能是由荀子而來，但不是內容上的關係。尊師因而尊師之所敎，這在孔門已經出現，但「師法」不是說以師爲法，而是把師所說的，賦予以法的權威性，這完全是新的觀念，此一新的觀念，在孟喜的故事以前已經有了，否則宣帝不會因此而動心。但它的提出，它的確立，不能早到設置博士弟子員之前，否則不可能在漢初七十年的相當豐富的著作中，並且也是儒生提倡師道的時代中，幾乎找不出它的痕跡。

儒林傳張山拊傳說秦恭「增師法至百萬言」。百萬言當然指的是當時盛行的章句，而這句話中的師法，也指的是老師的章句。這句話的意思是增加老師的章句到百萬字。由此可以了解，「師法」一詞，雖有時可以泛用；但師法的具體內容則是章句。老師的口頭解說，容易變動，容易忘記，不易定以爲法；傳、說，乃訓釋大義，不太受經本文的約束。故訓乃解釋文字，但在同一故訓之下，對經文也可作不同的導引，都不易定以爲法；只有博士爲了敎授弟子，順著經文，加以敷衍發揮，以成爲固定形式的章句，再加上博士在學術上的權威性地位，師法的法的觀念才得浮現出來。丁寬三萬言的易說，原不稱爲章句；但因兩種原因，所以被稱爲「小章句」；一是他的形式可能與後來的章句相近，二是他的弟子田王孫爲博士教授時，可能卽以他的易說作敎授時的敎材，這便成爲易的師法。正式章句的出現，可能以歐陽章句三十一卷爲最早，亦以書的章句爲最繁。訓故傳說與師法的關係，來自訓故傳說與章句的關係，彼此間的紐帶扣得並不太緊密。章句可能萌芽於設置博士弟子之前，但興盛顯著於設置博士弟子員之後，先有博士的章句，然後由此影響，才有一般儒生的章句。由師法與章句之不可分，所以也可證明師法觀念是起於設置博士弟子員之後。亦可由此了解淸今文學家把師法與「口說」「口傳」結合在一起而加以神聖化之鄙陋可笑。

「師法」觀念在博士的統緒中流佈出來以後，當然也影響到在此統緒以外的儒生，有時也加以應用。但終漢之世，這是非常有彈性的觀念，卽是，除了思想型的儒者不講這一套以外，在博士統緒中，他們有時重視，有時並不重視；有時講，有時並不講。其特別加以重視的，多半是把它當作排擠、統制的武器來加以應用，這在東漢更爲明顯。孟喜的故事，卽是一個顯明的例證。田王孫爲易學第二代的博士，代表易學的正統；孟喜與梁丘賀之爭，是易學正統繼承人之爭。孟喜「得易家候陰陽災變書」，加以運用，這是改了田王孫的師法；但梁丘賀之所以有再進得幸的機會，是因爲他明京房（景帝時之京房）易的關係。京房易雖亦出於田何的統緒；但從梁丘賀之子梁丘臨「專行京房法」的情形看，則京房法與田王孫法大有出入，是可以斷言的；而梁丘賀把京房法傳給其子，也是可以斷言的。梁丘賀扛著田王孫的招牌，拉攏施讎，以打擊孟喜，說孟喜改師法；但他自己卻同樣改師法，並未受到攻擊。且孟喜因改師法而未被用爲博士，則其易學應爲朝廷所棄。但何以他的弟子白光、翟牧兩人，又得「皆爲博士」。而受易於焦延壽的另一京房，「托之孟氏，不與相同」，其爲紊亂師法甚明；但他的弟子殷（段）嘉、姚平、乘弘三人，「皆爲郎、博士」。在其他各經中，也有同樣的例證，如書中的大小夏侯卽是。清乾嘉學派對師法意義的誇張，只是在學術進途中，自設陷阱，沒有歷史上的根據。

4. 孟喜易與焦京易的傳承關係問題

現在想解決孟喜與焦延壽及京房間，有無傳承關係的問題。

漢初易說，約略可分爲三個系統。第一、是以卦筮卜人事吉凶的系統。吉凶直接決定於卦，亦卽決定於卦象卦辭。在卦外不再需介入其他因素，這是易的老傳統，可能卽是田何所受授的系統。第二、是由方技之士，在卦本身以外，再介入其他因素，例如介入甲子等因素，使其在應用上，較卦筮更爲技巧，以指向某一特別部門，發生某種特別作用。焦延壽的「候司（伺）先知奸邪」之術，及京房的「考功課吏法」，當由此一系統發展出來的。因其源於方技之士，所以劉向便稱之爲「隱士易」。

第三、是把陰陽與時日相結合，再把這種結合介入到卦爻中去，使卦爻也與時日相結合，由時日的運行，以言卦爻中陰陽的消長；由陰陽的消長以言吉凶災變的系統。此一系統較之第二系統富有條理性、合理性，但也可以涵攝第二系統而與之合流。我不能斷定孟喜所「得易家候陰陽災變書」，是不是此一系統的先河；但可斷言孟喜在此一系統中有關鍵性、甚至是「創始者」的地位。屬於二、三兩系統的易學家，當然會接受第一系統的卦筮；但他們不以此爲立足點。第一系統的易學家，也會受到第二、第三系統的滲透，宣元之後，滲透愈強。這是西漢易學的大勢。孟喜與焦延壽及京房的關係，是第三系統的易學關係。不必與第二系統相干。

從人事上看，在兩點上焦延壽有問易於孟喜的可能。首先以焦延壽自甘下僚的性格，而又有候司先知奸邪之術以自立的情勢說，他無取乎假孟喜以自重；何況孟喜生時並沒有顯着的名位。其次焦氏在梁「王共（供）其資用，令極意學」的情形下，則他遊學長安時，有向孟喜問易的機會。從兩人易學的內容看，可以肯定焦延壽是曾從孟喜問易，而將孟說向前發展了一大步的。我在「揚雄論究」一文中，對此曾作較詳細的陳述（注三六），此處再略加補充。首先應明瞭孟易的情形。

唐李鼎祚周易集解引孟喜易章句（注三七）：

「自冬至初，中孚用事……坎、離、震、兌，二十四氣，次（每一氣之所在）主一爻；其初則二至（夏至、冬至）二分（春分、秋分）也。」

按孟喜章句、唐初尚存。新唐書歷志載一行「卦議曰，十二月卦出於孟氏章句，其說易本於氣，而後以人事明之」。所謂說易本於氣，是用陰陽消長之氣來解釋易。陰陽消長，表現爲十二月，故孟氏由六十四卦中提出復、臨、泰、大壯、夬、乾、姤、遯、否、觀、剝、坤十二卦，由十一月起，至次年之十月止，每卦當一月之氣。此爲卦氣說成立的基幹。十二月分爲四時，四時中有二至、二分，這都是陰陽消息的關鍵，所以孟喜又特提出「坎、離、震、兌」四卦當之。月有上弦下弦，故每月又分爲二氣，十二月共二十四氣，卽以上四卦的二十四爻，每爻當一氣，而以每卦之初爻當二十四氣中的二至二分，此卽卦氣說中四辟卦之所本。由此可知，新出現的易學第三系統的卦氣說，實由孟喜立其基幹，更無可疑。焦延壽的易說，據漢書七十五京房傳：

「其（焦延壽）說長於災變，分六十四卦，更直（値）日用事，以風雨寒溫爲候」。

孟康曰：「分卦直（値）日之法，一爻主一日；六十四卦（按「四」字疑衍）爲三百六十日。餘四卦震、離、兌、坎爲方伯監司之官（卽所謂「四辟卦」）。所以用震、離、兌、坎者，是二至二分用事之日，又是四時各專王（讀入聲若旺）之氣。各卦主時，其占法各以其日觀其善惡也」。由此可知孟喜以一卦當一月，以四卦當二至二分。焦延壽則由此再推進一步，以一爻當一日，以此表現陰陽消長之數，則更爲精密；卦氣說至此而得初步建立其輪廓。這是順承孟喜而來的發展，與焦延壽候司先知奸邪之術，並不相干。則焦氏自稱「嘗從孟喜問易」，京房「以爲延壽易卽孟氏學」，是信而有徵的。至京房受易於焦延壽，除「考功課吏法」出自延壽的「候司先知奸邪」外，其繼續完成卦氣說，已有明確記載。在這一方面，京房所受焦延壽的影響，卽是他所受的孟喜的影響。因他「好鍾律，知音聲」（本傳）便更進一步，把音樂與卦氣說和會在一起，以下開劉歆們三統曆的大和會（注三八）。漢志載孟氏京房十一篇，災異孟氏京房六十六篇」，這不是如沈欽韓所說：「京氏之易，托之孟喜」；若如此，則劉歆不會作這樣的著錄，而班固又不加註明；乃是京房以孟氏之說爲根據，再附以己見；故陸德明經典釋文敍錄有孟喜章句十卷，殆卽漢志孟氏京房十一篇的別名。

然則孟喜的弟子翟牧、白生（白光），爲什麼不承認延壽易卽孟氏易呢？因他兩人皆爲博士，代表田何系統的正統易學立場；孟喜的新說，不僅未取得官學的地位，且孟喜因被指爲改師法而未能得到博士。翟、白兩人，爲了維護其師孟喜及自己在正統易學中的地位，對於焦延壽與孟喜的關係，不能不加以否認。然則受到排擠的新起的卦氣說，何以不久便取得易學中的優勢，至東漢成爲漢易的主流呢？因爲在戰國中期前後，陰陽觀念進入於易的範圍，這在對易的解釋上提供了一大便利，也是一大進步。但此時只見於繫辭、說卦，尚未應用到卦與爻的本身（注三九）。順著此一傾向發展下去，必然將陰陽觀念與卦及爻，直接結合在一起；此其一。呂氏春秋十二紀紀首，以十二月爲陰陽消長的具體表現，對漢代發生了很大的影響（注四〇）；於是陰陽觀念表現爲時曆運行中之氣；陰陽觀念與卦及爻的結合，即是時曆運行中之氣與卦及爻的結合；此其二。由此而形成卦氣說，是順者這樣一條有理路可循的自然演進的結果，而且這又與漢代盛言陰陽的大趨向相適應。

5. 費氏易的問題

現在應對費氏易的一連貫誤解加以澄淸。

首先，儒林傳分明說費、高兩家易無章句，漢志亦未錄有費氏的著作；但隋志卻錄有「費直章句四卷，殘缺」；這分明出於後人的假托，或誤錄爲費直。此一錯誤還不算嚴重；嚴重的錯誤，皆來自范蔚宗的後漢書。

漢書儒林傳未嘗言費氏易爲古文易。藝文志謂「劉向以中古文（注四一）易經校施、孟、梁丘經，或脫去無咎悔亡；唯費氏經與古文同」。這只能說明費氏的經文本，較三家者完善，但「與古文同」的另一面，正說明費氏易並非古文。若費氏易亦爲古文，則「與古文同」四字便無意義；而按漢志之例，應特將費氏易錄在前，不管他是否立官及有無著作。范蔚宗後漢書儒林傳，先摘錄漢書儒林傳之大要，稱之爲「前書云」以作接其後事的張本。在易下「前書云……又有東萊費直，傳易，授琅邪王橫（漢書作「璜」。此因形近而誤），爲費氏學。本以古字號古文易」。「本以古字號古文易」八字，分明爲「前書」所無，他卻寫在「前書云」之下，可見這八字也並別無所出。這一誤會，一直沿襲下來，這是應首先加以澄清的。

民間費、高兩家之易，皆無章句。但高相「專說陰陽災異」，與兩漢學風相合，可以發生較大影響，所以儒林傳說「由是易有高氏學」。費直則除了保持一部好經文本，可供習易者利用外，他所長者在卦筮，這是易的老傳統，已由田何的統緒所代表，不足自成一派，所以儒林傳便沒有「由是易有費氏學」的一句。乃范氏在儒林列傳中說「建武中，范升傳孟氏易，以授楊政。而陳元、鄭衆，皆傳費氏易。其後馬融亦爲其傳。融授鄭玄，玄作易注。荀爽又作易傳。自是費氏興而京氏遂微」。經典釋文敍錄節取上文後又加「潁川荀爽，並傳費氏易」一句。隋志承上說進一步謂魏代王肅、王弼，並爲之（費易）注。自是費氏大興，高氏遂衰。梁丘施氏，亡於西晉。孟氏京氏，有書無師。梁陳鄭王二注，列於國學。齊代唯傳鄭義；至隋，王注盛行，鄭學浸微，今殆絕矣。」據此，則王注盛行，實亦等於費易盛行。於是費易不僅爲東漢易學的鉅派，而且爲漢易中的魯殿靈光；這完全是出自范蔚宗一人一時的誤解，遂鑄成經學史中的大錯。

按後漢書卷三十六范升列傳謂升「習梁丘易」，而在儒林列傳中則謂其「傳孟氏易」，錢大昭已指出其誤。又同卷鄭衆列傳僅謂其「兼通易、詩」，不能由此斷定他所兼通之易卽是費氏易。又同卷陳元列傳僅謂其「少傳父業，爲之訓詁」，而其父陳欽「習左氏春秋」，未嘗言及易。陳元與范升所爭者亦爲左氏春秋問題。卷六十馬融列傳，也無習費氏易的痕跡。卷三十五鄭元列傳，「師事京兆第五元先，始通京氏易、公羊春秋、三統曆，九章算術」；可知他的易學既與費氏易無關，在傳授上也與馬融無關。卷六十二荀爽列傳，僅謂他「著禮易傳」；而他的侄荀悅漢紀「臣悅叔父故司空爽，著易傳，據爻象承應陰陽變化之義。以十篇之文，解說經意」。若以「十篇之文」指的是十翼，則在這一點上，與費氏易有相同之點。但十翼爲諸家所共有，所共尊，它本是釋經的；則以十翼釋經，不能限於費氏一家。亦不可能由十翼所作之解釋是完全一致的。且漢人常稱十翼爲「傳」或逕稱爲「易」，未嘗泛稱爲「文」。釋文敍錄錄有荀註十卷，則「十篇之文」，應釋爲「以十卷之注文釋經」，較爲妥當。尤其是荀悅說他叔父易學的重點是「據爻象承應陰陽變化之義」。所謂「陰陽變化」，是指陰陽在一年三百六十日中的消長。以一爻值一日，由此以與三百六十日的陰陽相承相應，這說的正是卦氣說的京氏易；荀爽之爲京氏易，在李鼎祚周易集注所引荀注中，可得到明顯的證明。至隋志把王肅、王弼的易注，也劃入費氏易的範圍，同爲謬誤。這裏應特別指出的是：第一，費直自己沒有章句；而在後漢書裏，除范升傳中記有光武「時尚書令韓歆上疏，欲爲費氏易、左傳春秋立博士」，提到費氏易外，通東漢之世，再沒有出現過費氏易的踪影。三國志中，更找不出費氏易的踪影；何緣而能出現此一巨大的傳承統緒。其次：三國志卷十三王朗傳謂朗「著易、春秋、孝經、周官傳」，未言他所著易傳是屬於何家。但前面說他「師太尉楊賜」；後漢書卷五十四楊賜列傳謂賜「少明父業，兼明京氏易」；則王朗從楊賜所受的必爲京氏易。同卷王肅傳說他「撰定父朗所作易傳」，是王肅的易傳即是他父親王朗的易傳，可斷言其爲京氏易。王弼易註特徵之一，在「全廢象數」（四庫提要中語）。費氏易「長於卦筮」；若王注出於費氏易，也應重視卦筮；重視卦筮，如何能全廢象數？即此已可證明王注之與費氏易無關。但四庫提要承隋志之誤，悍然說「弼之說易，源出費直。然荀爽易即費氏學」。費氏以十翼解經，到底是如何解釋法，至魏已經過兩百多年的無書無師，沒有人能知道；在近兩千年後寫四庫提要的人，何以能知道「費氏學」的內容是什麼？而可作此斷定，何況荀爽易斷然是京氏易而非費氏易。王弼援玄學以註易，他的野心，是要以老學的「無」，爲易學的體；以易之休咎（有行為，始有休咎）爲老學之用；以建立他的體用兼備的玄學系統。這豈僅與費氏易風馬牛不相及，也可以說是易學上的一次大革命。何可妄相比附。

一系列的錯誤，皆來自范蔚宗一時的錯覺。他不了解東漢的今文學家皆排斥古文，但習古文者並不排斥今文的事實；更忽略了在西漢今古文之爭中，易根本不曾介入。他以爲凡習一經的古文，其他所習之經，亦必爲古文。他因漢書儒林傳傳費氏易的王橫（璜），「又傳古文尚書」，便推定王璜所傳的費氏易，亦必爲古文，便憑空添上「本以古字號古文易」八字。更把這一錯覺推用到東漢經學史上，凡某人習某種古文經典的，皆推定他所學的易，亦必是費氏古文易。連鄭玄很明顯的今古兼修，但因他治的周官、毛詩，本不是古文，僅被當時誤認爲古文，范氏便忘記自己在傳中明記鄭氏所學的是京氏易，也推定到費氏易裏去。後人承聲接響，遂致在經學史中形成一個龐大的錯誤系統。費氏眞可謂得到「不虞之譽」了。

(三) 書的傳承及其傳承中的問題

- 濟南伏生（秦博士）
  - 潁川朝錯
  - 濟南張生（博士）
  - 千乘歐陽生和伯
    - 千乘倪寬
      - 歐陽之子……歐陽高子陽（博士）
        - 歐陽地餘長賓（博士）—歐陽政
        - 濟南林尊長賓（博士）
      - 簡卿
  - ……魯孔安國（博士）
    - 千乘倪寬
  - ……周霸
  - ……雒陽賈嘉

（「歐陽、大小夏侯氏之學，皆出於寬（倪寬），由是尚書世有歐陽之學」）

- 濟南林尊長賓
  - 平陵平當（博士）
    - 九江朱普公文（博士）
    - 上黨鮑宣
  - 梁陳翁生
    - 琅邪殷崇（博士）
    - 楚龔勝

（「由是歐陽有平、陳之學」）

- 濟南張生—魯夏侯都尉
  - 歐陽氏
  - 夏侯始昌
  - 簡卿
    - （歐陽氏、夏侯始昌、簡卿→）夏侯勝
      - 夏侯建（歐陽高→夏侯建）
      - 齊周堪少卿
      - 魯孔霸（博士）
        - 孔光（牟卿→孔光）

（「由是尚書有大小夏侯之學」）

- 齊周堪少卿
  - 牟卿（博士）
  - 長安許商長伯
    - 沛唐林子高
    - 平陵吳章偉君（博士）
    - 重泉王吉少卿
    - 齊炔欽幼卿（博士）

（「由是大夏侯有孔、許之學」）

夏侯建—平陵張山拊長賓（博士）—
- 平陵李尋子長
- 鄭寬中少君（博士）——東郡趙玄
- 山陽張無故子儒——沛唐尊
- 信都秦恭延君——魯馮賓（博士）
- 陳留假倉子驕

（「由是小夏侯有鄭、張、秦、假、李氏之學」）

古文尚書

孔安國—
- 都尉朝—膠東庸生—清河胡常少子（以明穀梁爲博士）—虢徐敖—
  - 王璜
  - 平陵塗惲子真—河南桑欽君長
  - 劉歆
- 司馬遷

（「孔氏有古文尚書，尚書茲多於是（古文）矣」）

儒林傳：「伏生（注四二）濟南人也，故爲秦博士。孝文時，求能治尚書者，天下亡有；聞伏生治之，欲召。時伏生年九十餘，老不能行。於是詔太常，使掌故朝錯往受之。秦時禁書，伏生壁藏之。其後大兵起（史記作「兵大起」），流亡。漢定，伏生求其書，亡數十篇，獨得二十九篇，即以教於齊、魯之間，齊（史記無「齊」字，此衍文）學者由此頗能言尙書；山東大師無不涉尙書以教。伏生教濟南張生及歐陽生。張生爲博士（按此爲五經博士以前之博士）。而伏生孫以治尙書徵，弗能明定。是後魯周霸（此下應依史記增「孔安國」）、雒陽賈嘉，頗能言尙書。

歐陽生字和伯，千乘人也。事伏生，授倪（兒）寬；寬又受業孔安國，至御史大夫，自有傳。寬有俊材。初見武帝，語經學；上曰：「吾始以尙書爲樸學，弗好。及聞寬說，可觀」。迺從寬問一篇。歐陽、大小夏侯氏學皆出於寬。寬授歐陽生子，世世相傳，至曾孫高子陽，爲博士。高孫地餘長賓，以太子中庶子授太子（後爲元帝），後爲博士，論石渠。元帝卽位，地餘侍中，貴幸，至少府。戒其子曰：「我死，官屬卽送汝財物，愼毋受。汝九卿儒者子孫，以廉絜著，可以自成」。及地餘死，少府官屬共送數百萬，其子不受。天子聞而嘉之，賜錢百萬。地餘少子政，爲王莽講學大夫。由是尙書世有歐陽氏學。

林尊字長賓，濟南人也。事歐陽高，爲博士，論石渠。後至少府、太子太傅。授平陵平當、梁陳翁生。當至丞相，自有傳。翁生信都太傅，家世傳業。由是歐陽有平、陳之學。翁生授琅邪殷崇，楚國龔勝。崇爲博士，勝右扶風，自有傳。而平當授九江朱普公文、上黨鮑宣。普爲博士，宣司隸校尉，自有傳。徒衆尤盛，知名者也。

附錄：漢書七十一平當傳：「平當字子思。祖父以訾百萬，自下邑徙平陵。當少爲大行治禮丞，功次補大鴻臚文學，……以明經爲博士。公卿推當議論通明，給事中。每有災異，當輒附經術，言得失。文雅雖不及蕭望之、匡衡，然指意略同」。

夏侯勝，其先夏侯都尉，從濟南張生受尚書，以傳族子始昌。始昌傳勝、勝又事同郡簡(蘭)卿。簡卿者，倪寬門人。勝傳從兄子建。建又事歐陽高。勝至長信少府，建(遷)太子(後爲元帝)太傅，自有傳。由是尚書有大小夏侯之學。

附錄：漢書七十五夏侯始昌傳：(始昌)通五經，以齊詩、尚書教授。自董仲舒、韓嬰死後，武帝得始昌，甚重之。始昌明於陰陽，先言柏梁臺災日，至期日，果災……」

同卷夏侯勝傳：「……勝少孤，好學，從始昌受尚書，及洪範五行傳，說災異。後事蕑卿，又從歐陽氏問。爲學精熟，所問非一師也。善說禮服……遷太子太傅，受詔撰尚書、論語說……」。又「勝從父子建字長卿。自師事勝及歐陽高，左右采獲。又從五經諸儒問與尚書相出入者，牽引以次章句，具文飾說。勝非之曰：『建所謂章句小儒，破碎大道』。建亦非勝爲學疏略，難以應敵。建卒自顓(專)門名經，爲議郎、博士，至太子少傅……」

周堪字少卿，齊人也。與孔霸俱事大夏侯勝。霸爲博士，堪譯官令，論於石渠，經爲最高。

後爲太子少傅。而孔霸以太中大夫授太子。及元帝卽位，堪爲光祿大夫，與蕭望之並領尚書事，爲石顯所譖，皆免官，望之自殺，上愍之，乃擢堪爲光祿勳，語在劉向傳。堪授牟卿及長安許商長伯。牟卿爲博士，霸以帝師賜爵號褒成君，傳子光，亦事牟卿，至丞相，自有傳。由是大夏侯有孔、許之學。商善爲算，著五行論曆，四至九卿。號其門人沛唐林子高爲德行，平陵吳章偉君爲言語，重泉王吉少音爲政事，齊炔欽幼卿爲文學。王莽時，林、吉爲九卿，自表上師冢，大夫博士郎吏爲許氏學者，各從門人，會車數百兩，儒者榮之。欽、章皆爲博士，徒衆尤盛。章爲王莽所誅。

張山拊字長賓，平陵人也。事小夏侯建，爲博士，論石渠，至少府。授同縣李尋，鄭寬中少君，山陽張無故子儒，信都秦恭延君，陳留假倉子驕。無故善修章句，爲廣陵太傅，守小夏侯說文。恭增師法至百萬言，爲城陽內史。倉以謁者論石渠，至膠東相。尋善說災異，自爲騎都尉，有傳。寬中有儁材，以博士授太子（後爲成帝）；成帝卽位，賜爵關內侯，食邑八百戶，遷光祿大夫，領尚書事，甚尊重。會疾卒，谷永上疏曰：「臣聞聖王尊師傅，褒賢儁，顯有功，生則致其爵祿，死則異其禮諡。昔周公薨，成王葬以變禮，而當天心。公叔文子卒，衞侯加以美諡，著爲後法。近事，大司空朱邑，右扶風翁歸，德茂夭年，孝宣皇帝愍册厚賜；贊命之臣，靡不激揚。關內侯鄭寬中有顏子之美質，包商、偃之文學。嚴然總五經之眇論，立師傅之顯位。入則鄉(嚮)唐、虞之閎道，王法納乎聖德；出則參冢宰之重職，功列（烈）施乎政事。退食自公，私門不開，散賜九族，田畝不益。德配周、召，忠合羔羊。未得登司徒，有家臣，卒然早終，尤可悼痛。臣愚以爲宜加其葬禮，賜之令諡，以章尊師襃賢顯功之德」。上弔贈寬中甚厚。由是小夏侯有鄭、張、秦、假、李氏之學。寬中授東郡趙玄，無故授沛唐尊，恭授魯馮賓。賓爲博士，尊王莽太傅，玄哀帝御史大夫，至大官，知名者也。

附錄：漢書七十五李尋傳：「李尋字子長，平陵人也，治尚書，與張孺、鄭寬中同師。寬中等守師法教授，尋獨好洪範災異。又學天文月令陰陽，事丞相翟方進。方進亦善爲星歷，除尋爲吏……」

孔氏有古文尚書，孔安國以今文字讀之，因以起其家。逸書得十餘篇，蓋尚書茲多於是矣。遭巫蠱，未立於學官。安國爲諫大夫。授都尉朝；而司馬遷亦從安國問故。遷書載堯典、禹貢、洪範、微子、金縢諸篇，多古文說。都尉朝授膠東庸生，庸生授清河胡常少子，以明穀梁春秋爲博士、部刺史，又傳左氏。常授虢徐敖，敖爲右扶風掾，又傳毛詩，授王璜（據釋文敘錄，王璜上有琅邪」二字）、平陵塗惲子真。子真授河南桑欽君長。王莽時，諸學皆立，劉歆爲國師，璜、惲等皆貴顯。

世所傳百兩篇者，出東萊張霸，分析合（王引之以為「合」當作「今」者是）二十九篇以爲數十，又采左氏傳、書敍，爲作首尾，凡百二篇。篇或數簡，文意淺陋。成帝時，求其古文者，霸以能爲百兩徵，以中書校之，非是。霸辭受父，父有弟子尉氏樊並。時太中大夫平當，侍御史周敞，勸上存之。後樊並謀反（永始三年事），乃黜其書。

附錄：漢書三十六劉歆傳載歆讓太常博士書中有：「及魯共王壞孔子宅，欲以爲宮，而得古文於壞壁之中；逸禮有三十九篇（原無篇，依官本補）。書十六篇。天漢之後，孔安國獻之，遭巫蠱倉卒之難，未及施行」。

藝文志：

尚書古文經四十六卷　原注：「為五十七篇」

經二十九卷　原注：「大小夏侯二家。歐陽經二十二卷，「二十二」官本汪本並作三十二。

傳四十一篇　按此卽所謂尚書大傳

歐陽章句三十一卷

大小夏侯章句各二十九篇

歐陽說義二篇

劉向五行傳記十一卷

許商五行傳記一篇

周書七十一篇　原注：「周史記」

議奏四十二篇　原注：「宣帝時石渠論」。

凡書九家，四百一十二篇　原注：「入劉向稽疑一篇」

易曰：「河出圖，洛出書，聖人則之（師古：「上繫之詞也」）（按為附會之談）」。故書之所起遠矣，至孔子篹焉，（按此亦不能成立）上斷於堯，下訖於秦，凡百篇，而爲之序，言其作意。秦燔書禁學，濟南伏生獨壁藏之。漢興亡失，求得二十九篇，以教齊魯之間。訖孝宣世，有歐陽、大小夏侯氏，立於學官。古文尚書者，出孔子壁中。武帝末（當為景帝末），魯恭王壞孔子宅，欲以廣其宮，而得古文尚書及禮記（按卽逸禮三十九篇）論語、孝經，凡數十篇，皆古字也。共王往入其宅，聞鼓琴瑟鍾磬之音，於是懼，乃止不壞。孔安國者，孔子後也。悉得其書，以考二十九篇，得多十六篇，安國獻之（荀悅漢紀：「安國其家獻之」），遭巫蠱事，未列於學官。劉向以中古文校歐陽、大小夏侯三家經文，酒誥脫簡一，召誥脫簡二。率簡二十五字者，脫亦二十五字；簡二十二字者，脫亦二十二字，文字異者七百有餘，脫字數十（按此指二十九篇中各處之脫字）。書者古之號令。號令於衆，其言不立具（按「立具」者，指口頭當下說出），則聽受施行者弗曉（按此說明書係口頭所說，以求聽者易曉，與先筆之於簡帛者不同）。古文讀應爾雅（按應參閱後漢書賈逵傳），故解古今語而可知也。

1. 書在伏生外有無傳本？

按：漢初，書出自伏生，此外別無所出，此殆成爲經學史中共同的常識。我被此常識所誤導，便在「賈誼思想的再發現」一文中謂賈誼「與陸賈一樣，沒有引用到書……賈生僅知其名而未嘗讀其書……」（注四三）犯下了大錯。陸賈新語導基第一，以仁義概括五經六藝的內容；其中有一句是「書以仁敍九族」，這分明引用了堯典的「以親九族」，則不可謂陸賈沒有看到書。但這可以解釋爲他是在焚書以前看到的。可是賈誼新書卷五保傅篇引「書曰，一人有慶，兆民賴之」，此係引用呂刑（一稱甫刑）。又卷七君道篇引「書曰，大道亶亶，其去身不遠。人皆有之，舜獨以之」，這可能是出自今日看不到的逸書。並且他把傳統的「詩書」的序列，改變爲「書詩」的序列，把書的地位安放於詩之上，這不能不懷疑他曾看到了書或書的一部分。他是雒陽人，生於高祖七年（西前二〇〇年），卒於文帝十二年（西前一六八年）；文帝即位之初，召爲博士；而朝廷知道有伏生，據儒林傳，也在文帝時代；以賈生之出生地與年齡，不可能受到伏生的書教。則賈生在雒陽「以能誦詩書屬文稱於郡中」（本傳）的「能誦詩書」中的書，並非虛語；當時雒陽，尚有民間所出之書可誦，特旋被埋沒不章，遂使伏生獨得傳書之名，不是不可能的。

2. 伏生失其本經之證

其次應澄淸的是顏師古注所引衞宏定古文尚書序的下面一段話：

「伏生老不能正言，言不可曉也，使其女傳言敎錯（朝錯）。齊人語多與潁川異；錯所不知者凡十二三，略以其意屬讀而已」。

衞宏的話，可能係指講解時的情形；而朝錯的以意屬讀，指的是伏生所講解的內容，並非指的是經文。但僞孔安國尚書序由此而附會爲「濟南伏生，年過九十，失其本經，口以傳授，裁二十餘篇」；這分明與史漢兩儒林傳所說「獨得二十九篇」不合。其用意在打擊今文尚書的地位。而口頭傳授，乃任何先生親授弟子時的常態；及淸今文學家，援此以強調「受讀」與「口說」的特殊意義，藉此以抬高今文的地位，打擊東漢流行的註解，有如補注所引劉台拱之說，及皮錫瑞在經學通論中所一再誇張的，眞不値一笑。

3. 伏生二十九篇中無泰誓及泰誓的問題

史、漢兩傳在述尚書（注四四）皆謂伏生獨得二十九篇；以實計之……堯典㈠，皋陶謨㈡，禹貢㈢，甘誓㈣，湯誓㈤，盤庚㈥，高宗肜日㈦，西伯戡黎㈧，微子㈨，牧誓㈩，洪範(十一)，金縢(十二)，大誥(十三)，康誥(十四)，酒誥(十五)，梓材(十六)，召誥(十七)，洛誥(十八)，多士(十九)，無逸(二十)，君奭(二一)，多方(二二)，立政(二三)，顧命(二四)，費誓(二五)，呂刑(二六)，文侯之命(二七)，秦誓(二八)，一共二十八篇。這裏面便牽涉到泰誓及書序的問題；王引之經義述聞，謂伏生傳有泰誓；王先謙在補注中亦謂「今文本有泰誓，董仲舒、司馬相如所引是也。馬、鄭諸人以爲民間後得泰誓，非」。但因下述兩個理由，我斷定伏生獨得二十九篇，是把顧命與康王之誥分而爲二，其中沒有泰誓。第一，若伏生傳有泰（太）誓，則此泰誓必周室的舊典，與先秦諸家所引用者吻合。乃禮記坊記引太誓「予克紂，非予武……」，鄭玄注：「此武王誓衆以伐紂之辭也；今太誓無此章，則其篇散亡」。國語周語引泰誓「民之所欲……」，韋昭注：「今周書泰誓無此言，其散亡乎」。馬融亦以文獻考證的立場懷疑泰誓，王肅也是如此（注四五）。則漢之泰誓，非先秦之泰誓可知。第二，劉歆移書讓太常博士，這是面對博士集團講話，其中直接與博士有關的，不敢以無實之言，致自招罪戾。書中明言泰誓後得，其不出於伏生，至爲明顯。至尚書大傳（注四六）中提到泰誓，也和大傳篇目中「有九共、帝告、嘉禾、揜誥之類」（注四七）一樣，乃出自伏生的零星記憶。董仲舒、司馬相如與史記周本紀都引用了泰誓，則關係於泰誓後得的時間問題。

民間得泰誓的時間有三說；一、是文選李註引劉向別錄：「武帝末，民有得泰誓書於壁內者，獻之，與博士，使讀說之，皆起傳以敎人」。二、是王充論衡正說篇：「至孝、宣之時，河內女子發老屋，得逸易、禮、尚書各一篇。奏之。宣帝下視博士，然後易、禮、尚書各益一篇，而尚書二十九篇始定矣」。三、是尚書正義疏引後漢書：「獻帝建安十四年，黃門侍郞房宏等說云，宣帝本始元年（宣帝卽位改元之年），河內女子有壞老屋，得泰誓三篇」。三說中殆以王充之說，附益多而難信；逸易、逸禮，究何所指？易十翼及儀禮十七篇，早已定型；大小戴記編定於宣帝時代，無所謂「各益一篇」。尚書二十九篇，在司馬遷寫儒林傳時早定，何待至宣帝時而定。王充論衡中有關經學史的紀錄，多不可信的情形，大率類此。第三說殆由王說加以裁汰補充而來。但因西漢早有此一故事的流傳，故由劉向別錄起，出現不同的記載則是事實。藝文志以魯共王壞孔子宅的故事繫之「武帝末」，而略經考證，則實爲「景帝末」。若據劉歆讓太常博士書，將此事敍述於元朔四年「故詔曰，禮壞樂崩」之前，並將兩事出以有因果關連的口氣，則得泰誓乃在元朔四年之前，因而可推定民間在壁內發得泰誓，非武帝末而亦爲景帝末，則前面許多矛盾衝突的情形，皆可得到順理成章地解決。但博士們雖然由皇帝之命，增加了一篇，也等於另外還增加了河間獻王所得的周官（注四八）一樣。因其不出於伏生，始終加以岐視。因此，吳承仕以泰誓有三：一、先秦諸書所引之眞泰誓。二、漢民間所獻之僞泰誓，三、僞古文之泰誓（注四九），是可以成立的。

4. 書序問題

再談到書序的問題。伏生二十九篇，陳壽祺左海經辨以爲其中有書序；俞正燮癸巳類稿，劉師培答方勇書，論泰誓答問，皆主張無序。我可以斷定今文二十九篇中是沒有書序的。據漢志「經二十九篇」，此卽伏生所獨（僅）得的二十九篇。書序不是「經」，何以能數入二十九篇之內。易傳、春秋傳有時稱爲經，因爲那是發揮經的大義，或敷陳經的事實的，與書序性質不同。後人不明此義，每遇數字上解釋困難時，輒由序的加減以爲解決的方法，是毫不足取的。揚雄法言問神篇「或曰，易損其一也，雖惷知缺焉（謂易若少了一卦，雖愚蠢的人也知道缺了一卦）。至書之不備過半矣，而習者不知（此指博士系統的人，以二十九篇為完備），惜乎書序之不如易也。曰，彼（易），數也，可數焉故也（八卦重之而演為六十四卦，這都是計數得出來的）。如書序，雖孔子莫如之何矣（書各篇，無相關的關係；序雖有百，而博士們不承認其有百，雖孔子也難就書序的本身來批駁博士們之妄）。又「昔之說書者序以百（過去說尚書的人，尚承認根據書序，原有百篇。意謂今日博士們則不肯承認書序，因而不承認尚書原有百篇），而酒誥之篇俄空焉（而博士們所傳的酒誥，也由劉向與中古文相較，一下子（俄）發現其中尚有闕簡）。今亡夫（現在博士們大概連有缺簡一事也不承認吧！）。」當時博士是經學的權威，揚雄以「執戟」的地位去批評他們的頑固愚蠢，所以說得特爲含蓄。但由此可斷言書序本有百篇，卻不在伏生所傳二十九篇之內。不在二十九篇之內，並不說明伏生不承認書序，而是書序原另爲一篇別行，未嘗亡失。在建立五經博士之前，習尙書今文二十九篇的人，以情理推之，亦未嘗不承認書序。後來的書博士，爲了拒絕古文尙書，以保護自己的壟斷地位，便悍然抹煞書序的存在，而以二十九篇爲備（完備）。也因書序是單篇別行，所以他們可加以抹煞。若二十九篇中本有書序，或伏生曾將其附於二十九篇之末，則博士們無法加以抹煞，劉歆也不至提出加以指謫。

這裏附帶一提的是：漢志「經二十九卷」下，班註：「大小夏侯二家。歐陽經三十二卷」的問題。尙書的傳承，分歐陽與夏侯兩大系統。經二十九篇，卽伏生所獨得的二十九篇（卷）應爲兩系統所共同傳承。歐陽將盤庚分爲三篇，於是二十九篇成爲三十一篇，這與大小夏侯無異。但他的經是三十二卷，這多出的一卷，不少人又以書序來湊數；但不僅書序不是「歐陽經」的「經」，實在湊不上處。且兩系統皆出於兒寬；若歐陽經中有書序，必是兒寬所傳者本來如此，則大小夏侯何得獨無。據漢書儒林傳贊，建立五經博士後，書博士始於歐陽。歐陽在初當博士時，面對朝廷得自民間的泰誓，在情勢上不得不承認。經三十一加泰誓，所以成爲三十二。但因其不出於伏生，所以未爲它作章句，因此，歐陽章句依然是三十一卷。即是表面接受，而事實上加以疏外。大小夏侯進入博士在後，對此若有若無的泰誓，便乾脆不加理會，而依然堅守伏生的二十九篇。

現對爭論很多的書序作者問題，因而關連到書序出現的時間問題，略作討論。朱彝尊曝書亭集卷五九書論二：

「說書序者不一。謂作自孔子者，劉歆、班固、馬融、鄭康成、王肅、魏徵、程顥、董銖諸儒是也。謂歷代史官轉相授受者，林光朝、馬廷鸞也。謂齊、魯諸儒次第附會而作者金履祥也。至朱子持論，謂決非夫子之言，孔門之舊。由是九峯蔡氏作書傳，從而去之。按古者書序自爲一篇，列於全書之後……至孔安國僞傳出，始引小序分冠各篇之首。後人習而不察，遂謂伏生今文無序，序與孔氏傳並出；不知孝武時並有之，此史遷據以作夏殷周本紀；而馬氏（馬融）于小序有注，見於陸氏釋文……是孔傳未出之時，先見於漢代」。

按朱氏所舉，可分爲四說，以林光朝們認爲歷代史官轉相授受之說，最爲合理，因詩書本由周室史官編集以作教材之用（注五〇），則當他們編集時附以小序，乃情理之常。從前引揚雄法言問神篇「如書序，雖孔子莫如之何矣」的話，他也是以書序成立於孔子之前，也只有推定出於編集者——史官之手。不過其中有的序，隨僞孔傳的出現而有所改易。四說中，以序與孔傳並出之說，最爲橫決；因他們違反了大量歷史事實。除史公作三代本紀中引用書序，及揚雄明白提到書序外，漢書地理志中敘述各地風俗的部分，蓋出於成帝時的朱贛（注五一）。在「河內本殷之舊都」項下「故書序曰，武王崩，三監叛，周公誅之，盡以其地封弟康叔，號曰孟侯」。此序與孔傳之序不同，此乃鑒於王莽假名周公以篡漢之事，爲東漢人所修改，不必出於作僞孔傳者之手。又漢書五行志本於劉向。五行志中之下「書序曰，伊陟相大戊，亳有祥桑穀共生。傳曰，俱生乎朝，七日而大拱。伊陟戒以修德，而木枯」。又「書序又曰，高宗祭成湯，有蜚雉登鼎耳而雊，祖己曰，惟先假王正厥事」。則西漢之有書序，是確無可疑的。而此書序之傳自先秦，也是決無可疑的。

還有兩點，藉此機會應加以說明。㈠史記殷本紀載有湯征之詞，梁玉繩以爲「史公所見壁中眞古文」。又載有湯誥，閻若璩以爲「司馬遷既從孔安國問古文，所見必孔壁中物，其爲眞古文無疑」。

按司馬遷所見者乃孔安國以伏生二十九篇今文讀之的二十九篇古文及泰誓、周官；並未見到多出於今文的十六篇。否則他作三代本紀，采輯及於周書及諸子中的有關材料；若他能看到多出於今文的十六篇，這對他實有莫大的便利，所援引者豈僅上述二端。上述二端，殆由先秦典籍中所轉引，而爲後人所無從查考。(二)司馬遷雖未看到壁古文之多出十六篇，但曾看到書百篇之序。因三代本紀中除伏生所傳二十九篇之書序以外，計夏本紀有五子之歌，胤征；殷本紀中有帝誥，典寶，夏社，仲虺之誥，太甲訓，沃丁，咸艾，太戊；周本紀有武成，殷器，歸禾，嘉禾，賄肅愼之命，畢命，冏命。由此可以證明書序自爲一篇，別行於世。但不可因此推定書序與壁古文同出；因如後所述，壁古文除孔安國以今文讀之的二十九篇外，其多出的十六篇，實未行於世。若序與之同出，亦不會獨行於世。

5. 尚書大傳問題

玆更略談到尚書大傳的問題。漢志「傳四十一篇」，此卽後人所講「尚書大傳」。「大」字乃後人所加。據王應麟困學紀聞卷三十七引中興書目：

「據鄭康成序云，蓋自伏生也（蓋此傳來自伏生）。伏生爲秦博士，至孝文時，年且百歲。張生、歐陽生從其學而授之（尚書），音聲猶有譌誤（按此乃受衞宏之說的影響），先後猶有差舛。重以篆隸之殊，不能無失。生終後，數子各論所聞，以己意彌縫其缺，別作章句。又特撰大義，因經屬指，名之曰傳。劉向校書，得而上之，凡四十一篇；至康成始詮次爲八十三篇」。據此可知大傳乃伏生死後，他的弟子張生、歐陽生們所共撰；其內容是出於平日所聞於伏生的，故曰「蓋自伏生也」。但其撰成於伏生死後，而非伏生所自撰，因而其中亦有由撰者所增益的，從康成序的上下文看，至爲明瞭。漢志不出撰者姓名，班固亦不加註明的原因在此。乃經典釋文敍錄標爲「尚書大傳三卷，伏生作」。至隋書經籍志遂謂「伏生尚書傳四十一篇，以授同郡張生，張生授千乘歐陽生」，其乖謬至爲明顯。直齋書錄解題謂：「當是其徒歐陽生、張生之徒，雜記所聞」。四庫提要：「據玄序文，乃勝（伏生）之遺說，而張生、歐陽生等錄之也」。上兩說爲得其實。有的清儒，因尊伏生太過，仍堅持爲伏生所自著；漢書補注引「王鳴盛曰，以大傳系經下，尊伏生也」。迂附可笑。

更重要的是：自班固在劉向傳贊中有「劉氏鴻範論，發明大傳，著天人之應」之語，晉書、宋書五行志，遂以尚書大傳，乃言五行庶徵之事。王鳴盛更以漢書五行志中的「傳曰」「是伏生鴻範五行傳」。這一錯誤，是思想史上的一大擾亂。按漢志錄有劉向五行傳記，當卽傳贊之所謂鴻範論。先有五行傳，然後有發揮五行傳之「記」；漢志所錄的「許商五行傳記」的性質也當是如此。「五行傳」之與「尚書傳」，內容的廣狹既殊，名稱亦較然各異，何可渾爲一談！問題在緣洪範五行以言災異的五行傳，究出於何人之手。

漢書七十五夏侯始昌傳：「夏侯始昌，魯人也。通五經，以齊詩、尚書教授……明於陰陽。先言柏梁台災日，至期日果災」。又夏侯勝傳：「夏侯勝，少孤好學。從始昌受尚書及洪範、五行傳，說災異。」漢書五行志中之上：「孝武時，夏侯始昌通五經，善推五行傳，以傳族子夏侯勝，下及許商，皆以教所賢弟子。」又下之上夏侯勝當事不欲昌邑王賀外出，恐有臣下謀上者事。霍光召問勝，「勝上洪範五行傳曰，皇之不極，厥罰常陰，時則有下人伐上。」據上引資料，可以斷言洪範五行傳，或簡稱五行傳，乃出於夏侯始昌，爲他這一系統的尚書家所傳承。夏侯始昌爲張生的再傳弟子，爲伏生三傳弟子。他的洪範五行傳，爲張生及夏侯都尉所未聞，爲歐陽生系統的尚書家所不習，更何能推及伏生。且洪範上的五行，指的是五種通用的人生資具；洪範中言休咎，未曾關涉到篇中的五行（注五二）。尚書大傳中之言四時、五色、五服及律呂等，不似呂氏春秋十二紀紀首之與五行相配合；言三皇五帝，亦與鄒衍終始五德之說無關。所言五行的性質是「水火者百姓之所飲食也。金木者，百姓之所興作也。土者萬物之所資生也，是爲人用。」這正與洪範中五行的原義相合；未嘗以五行爲氣，自無由緣之以言災異。鄒衍以五行言終始五德，其是否以五行言災異，不十分明瞭。很明顯以五行言災異，今日可以看到的是呂氏春秋十二紀紀首，董仲舒承其流而附會以公羊春秋，大加發揚，此卽五行志敍中所謂「始推陰陽爲儒者宗。」夏侯始昌活動於武帝之末，更承仲舒之流而擴及洪範，洪範中又列有五行，更易附會，遂爲其學派以外的劉向、劉歆所信服。翼奉更承夏侯始昌之流而將其擴及於詩。易則在先秦時已有此一別派，至爲孟喜所傳承光大，影響尤鉅；於是本與陰陽五行毫不相干的五經，至宣、元、成時代，彌漫著陰陽五行的迷霧。於是本不言陰陽五行災異的，至此亦皆爲此迷霧所汚染。這不僅是先秦傳經之儒所不及料，也是漢初第一、二兩代傳經之儒所不及知的。由李尋好甘忠可所詐造的天官歷，包元太平經推之，東漢的道教的正式出現，可能是由此而得到啓發，得到支持。這種經學性格的演變，對思想史的把握，有其重要性。

6. 古文尚書問題

現在略談古文尚書問題。劉歆傳、儒林傳皆未言得古文尚書的時間。漢志則謂爲「武帝末，魯共王壞孔子宅」時所得。按漢書五十三魯恭（共）王傳「以孝、景前二年立爲淮陽王。吳楚反破後，以孝景前三年（西前一五四年）徙王魯，好治宮室……二十八（當作七）年薨」。薨時爲武帝元光六年（西前一二九年），乃武帝即位之第十二年，亦不可稱「武帝末」。是「武帝末」乃景帝末之誤。史記卷四十七孔子世家「安國爲今皇帝博士，至臨淮太守，早卒」。漢書五十八兒寬傳「治尚書，事歐陽生。以郡國選博士，受業孔安國。」由此可以推定，他的年齡或較伏生的及門弟子張生、歐陽生爲少，但輩分則約略相同。儒林傳又記「安國爲諫大夫」，是他的官階由比六百石的博士而升比八百石的諫大夫，再升爲二千石的淮陽太守。在司馬遷寫孔子世家時，他已「早卒」，可能是年未及五十而卒。可以推測他當博士，是當武帝未立五經博士以前的博士；伏生的及門弟子張生的博士性質也是如此。立五經博士以後的第一屆博士，據漢書儒林傳贊是「書唯有歐陽」；而此歐陽乃伏生及門弟子歐陽生之子或孫，不可能是歐陽生本人；因爲年齡不能相及。魯共王得壁中書，歸還給孔氏；「孔安國以今文讀之」，是安國先通今文尙書。「因以起其家」，何焯、王引之，皆以「家法」爲解，卽因此與起古文家法。但此不僅與「起其家」的語意不合；且西漢只稱「師法」而不稱「家法」。因爲他以今文尙書讀古文尙書，較伏生所傳者更完備，可能因此而聲名傳播，遂被徵爲博士；「起其家」殆卽指其被徵爲博士一事而言，有如今日之所謂「發跡」或「發達」。「以今文讀之」，卽是以今文校讎古文，並進而以今文寫定古文，這一整理工作，需要相當時間。他所授於兒寬的，固然是今文尙書；他所授於都尉朝及司馬遷的，也只是以今文寫定的古文尙書，其未以今文寫定的，他並沒有傳授。所以班氏指明史遷用「古文說」的只是堯典、禹貢、洪範、微子之命、金縢等篇，皆今文所有。此外，他應用到了二十九篇以外的逸書的序，而實未嘗應用到多出的十六篇，而書序本自別行的。今文與古文的分別，其實不在字體的不同；鄭康成尙書傳序中謂伏生傳授時困難之一是「重以（加以）篆隸之殊」，是伏生所藏者本爲篆書，卽本爲古文；在傳授時乃將篆書寫成隸書，卽寫成今文；他太老了，在改寫時不能不有許多錯落。由此可知漢初的今文皆來自古文，而古文以隸書改寫後卽爲今文。凡流佈中的字體是相同的，卽同爲隸書。今古文的分別，乃在文字上有出入，及由文字上的出入而引起解釋上的出入。有如今日同一部書，發現有兩種不同的版本。但由近年發現的甲乙兩種帛書老子相互間文字出入之大，及與通行本間的文字出入更大的情形推之，今古文尙書間文字出入之大，不是一般兩種不同版本可以比擬的；據漢志，劉向以中古文與今文互校結果，今文尙書、酒誥、召誥有脫簡，又「脫字數十」，「文字異者七百餘」。這有出入的七百多字，漢志認爲「古文讀應爾雅」，卽是古文尙書中不同於今文尙書的字，其音義與爾雅一書中有關的音義相合，反映今文尙書中不同於古文尙書的字，其音義與爾雅一書中有關的音義不合；這只要稍具一點校讎學常識，便可以承認的。此外更重要的是古文尙書多出了十六篇。所以今古文問題的本質，是一種校讎上誰對誰錯，誰較完備，誰較殘缺的問題，這是很簡單可以處理，很簡單可以判定的問題。

因爲孔安國所傳授的古文尙書，只是以今文寫定的二十九篇，其多出於今文尙書的十六篇，並未傳授，保存於中秘，只有校書的劉向，劉歆、王龔們可以看到，外間並未流通。所以東漢雖然「古學大明」（後漢書衞宏傳中語），但治古文尙書諸儒，不僅未曾援引過多出的十六篇，他們所注古文尙書，亦僅二十九篇。而且鄭康成注禮記，韋昭注國語，高誘注呂氏春秋，趙岐注孟子，杜預注左氏傳，一遇到這些書中所引今文二十九篇以外之文句時，皆無例外的指爲逸書。於是經典釋文敍錄對這種情形作一種解釋說，「案今馬、鄭所注，並伏生所誦，非古文也。孔氏之本絕，是以馬、鄭、杜預之徒，皆謂之逸書。王肅亦注今文，而解大與古文相類；或肅私見古文而秘之乎。」按後漢書卷三十五鄭玄列傳記鄭玄從張恭祖習古文尙書。吳承仕序錄疏證引「鄭君書贊，以古文之學遠師棘下，近承衞（衞宏）、賈（賈逵）、馬（馬融）二三君子之業」。則馬、鄭之治古文尙書，所注者亦爲古文尙書，彰彰甚明。且敍錄引「范曄後漢書（儒林傳）云，中興，扶風杜林傳古文尙書（注五三）賈逵爲之作訓，馬融作傳，鄭玄注解，由是古文尙書遂顯於世。」則鄭馬所傳注者當然爲古文尙書。三國志王朗傳「肅善賈，馬之學」。則他解尙書亦當爲古文。因陸德明不知多出的十六篇並未流佈，見馬、鄭所注的篇目與伏生所傳者相同，而今文本已絕於西晉，無可對照，遂誤以馬、鄭所注的「非古文也」，並以爲「孔氏之本絕」。但事實恰恰相反。因馬、鄭、王所注的皆古文本，今文本因章句之累，文字之訛，在相形之下，終歸於由微而絕。「永嘉喪亂，衆家之書（指歐陽及大小夏侯兩大系統）並滅亡（注五四）；於是今文本之經文爲古文本所取代，亦藉古文本得以保存。淸今文學家所標異高擧的今文尙書，實乃得自古文尚書的餘惠。至王肅注古文尚書，中有與僞書傳相類的，吳承仕謂「此乃孔傳采摭王義，非王氏竊自僞書」(注五五)乃平情之論。吳氏疏證引「馬融云『逸十六篇，絕無師說』」。師說之絕，自何時始，今不可知。漢儒無無師之學。故馬、鄭等不爲逸書作注」。此乃誤解馬融語義，並陷入於淸儒過份強調師說師法的陷阱。廣雅釋詁一「絕、斷也」。釋詁四「絕、滅也」。「絕無師說」，乃謂此十六篇因其本文斷滅，遂無師說。以東漢古文學的興盛，不受博士統緒的拘束，衞、賈、馬、鄭諸儒，假定能讀到多出的十六篇，必將因其無師說而全力以赴，爲之傳注，以收興滅繼絕之功。傳注之學，正所以補無師說或師說有所不足的缺憾。馬融「常欲訓左氏春秋，及見賈逵、鄭衆注，乃曰，賈君精而不博，鄭君博而不精。既精且博，吾何加焉。但注三傳異同說」。(注五六)這正反映出傳注乃補前人之所不足；若前人已足者，卽不必多此一擧。馬融注列女傳、老子、淮南子、離騷，是根據什麼師說？無師說卽不敢講習著作的荒謬絕倫之說，竟流佈百餘年之久，殊爲幼稺可笑。

孔安國何以未將多出的十六篇流佈傳授？可能是對照今文尚書二十九篇來解讀改寫古文尚書的二十九篇，其事易。其多出的十六篇，因缺乏解讀改寫的橋樑，其事特難。後得的泰誓，尚需要「博士集而讀之」，何況孔安國一人所要做的有十六篇，實際是二十四篇之多。可能他在外調淮南太守時，這一工作尚未完成，他也沒想到自己會早死，所以他在這一工作未完成以前，既無法傳授流佈，也不願上之朝廷，歸入中秘。因此，荀悅漢紀在成帝三年記載此事時，較漢志「安國獻之」語，多一「家」字，而爲安國死後其家所獻，這是合情合理的；也可能是班固刪取七略時誤脫一「家」字。安國家於武帝末年獻書，宇內彫殘，天下騷動，不僅有巫蠱之亂，武帝此時無暇因此引起一番爭論，以爲古文立官，此後便把它擱置在中秘裏面，僅有校書的人可以看到；此後或因王莽之亂，隨宮殿而俱燼。僞武成疏引鄭玄云「武成，逸書，建武（光武年號）之際亡」。我以爲鄭的話紀錄得不完全；可能他的眞意是說「武成是逸書，逸書亡於建武之際，武成隨之俱亡」。否則置於秘閣中的，無獨亡一篇之理，若獨亡一篇，外間亦無由得知。

多出的十六篇，據鄭玄述古文逸書篇目（注五七）計：

舜典(一)，汨作(二)，九共(三)，大禹謨(四)，棄稷(五)，五子之歌(六)，胤征(七)，湯誥(八)，咸有一德(九)，典寶(十)，伊訓(十一)，肆命(十二)，原命(十三)，武成(十四)，旅獒(十五)，臩命(十六)，（惠棟以爲當作畢命。）九共九篇，故又爲二十四篇。其中並未能賅括史記中所涉及的篇目，因史記乃根據書序，範圍自較廣。這裏應順便一提的是，僞古文作者並不完全知道逸古文的篇目，否則他會按照逸古文篇目來僞造；而事實上並非如此，兩者間出入頗大。玆將梅本僞古文二十五篇篇目列下：

大禹謨(一)，五子之歌(二)，胤征(三)，仲虺之誥(四)，湯誥(五)，伊訓(六)，太甲上(七)，太甲中(八)，太甲下

(九)，咸有一德(十)，說命上(十一)，說命中(十二)，說命下(十三)，泰誓上(十四)，泰誓中(十五)，泰誓下(十六)，武成(十七)，旅獒(十八)，微子之命(十九)，蔡仲之命(二〇)，周官(二一)，君陳(二二)，畢命(二三)，君牙(二四)，冏命(二五)，但梅本的篇目，主要係由先秦典籍中曾引用或提到者加以綜合而成。且書序百篇，篇目本可有出入，故就篇目言，不可斥為無據。

漢志「尚書古文經四十六卷」，卷卽篇，此乃劉歆所錄。孔安國以今文二十九篇讀之為二十九篇，再加多出於今文的十六篇，共四十五篇，於是有人加入書序為一篇，故四十六卷。但書序不是「經」，且書序亦非隨古文同出於壁中，劉歆何得與其他古文經同列？漢書五十三，河間獻王傳謂「獻王所得書，皆古文先秦舊書，周官、尚書、禮記、孟子、老子之屬」。我在周官成立之時代及其思想性格一書中認為應當將「周官尚書」，併為一名，卽是尚書中的周官，而不是另得有尚書（注五八）；當時有朋友謂若如此，則傳應稱為「尚書周官」，而不應稱「周官尚書」。後查史記封禪書，正稱為「尚書周官」，似可正傳文的倒誤。史記周公世家謂「周之官政未次序，於是周公作周官，官別其宜。作立政，以便百姓。」立政為尚書中的一篇，則周官亦必為尚書中的一篇。封禪書中引有周官三十一字。馬融周官傳（注五九），分明說尚書中有周官，與他所傳的周官不同（按卽王莽、劉歆所造者）。但因其不出於伏生，為博士們所排斥，不加實質性的承認。劉歆開放的態度，以此周官同出於古文，故卽列爲「古文經」之一。所以較相加之數，多出一篇。

這裏應特別一提的是，前面我已論證了今文尙書中無泰誓，我這裏應再說明，因今文尙書中無泰誓，所以以今文讀之的古文中亦無泰誓。此處的「四十六卷」中，並不包括泰誓在內。因後得的泰誓，實爲「漢泰誓」，則其非以古文書寫可知；故劉歆當時縱承認其爲眞，亦無由列入古文尙書之內。何以見得古文尙書中本無泰誓呢？第一，若古文尙書中有泰誓，則與此「後得」的泰誓，應同時有兩泰誓。此兩泰誓若字句相同，劉歆在讓太常博士書中不應僅提後得的泰誓，置古文泰誓於不顧；且其特提後出泰誓亦無意義。若兩者文字有出入，則劉歆以校中秘書的經驗，應判定兩者的異同與得失；何況讓太常博士書的目的之一，本是爲古文尙書伸寃的，豈有置古文中的泰誓不顧，而單提後得泰誓之理。第二，若古文中有泰誓，則其內容應與先秦典籍中所引者相符，不應引起治古文尙書的馬、鄭諸儒的疑異（見前）。第三，若古文尙書中有泰誓，則以「今文讀之」的古文尙書，因賈、馬、鄭、王諸儒的傳註，並未亡失，何得獨亡泰誓。須由梅本僞泰誓加以頂替。尙書中周官的所以亡失，因東漢儒生不接受「周禮」的名稱而只稱周官（注六〇）。賈逵已誤此書爲尙書中的周官；東漢周官一書的勢力太大，尙書中的周官遂爲所掩；它既受博士們的歧視，而又因其本不出於孔壁，遂因此亡失，由梅本僞周官所補替。

再說明班固在尚書古文經四十六卷下特註「爲五十七篇」的問題。按泰誓本非出於伏生，可以在今古文中兩邊游動。這樣一來，以今文讀出的二十九中，折盤庚爲三而成三十一篇；多出今文的十六篇中的九共本爲九篇，則爲二十四篇，兩者相加共爲五十五篇。加周官爲五十六。加泰誓爲五十七。至太平御覽六百零八引桓譚新論曰：「古文尚書，舊有四十五卷，爲五十八篇」；王應麟漢志考證引劉向別錄亦謂「五十八篇」，則當係加書序。蓋他們所稱者「古文尚書」而非稱「古文經」，則不妨將書序加在一起。

四 詩的傳承及其傳承中的問題

詩分魯、齊、韓、毛四家，分表如下：

魯詩

- 荀卿—齊浮丘伯
  - 魯申公（博士）
    - 蘭陵王臧
    - 代趙綰
    - 魯孔安國（博士）
    - 周霸
    - 夏寬
    - 碭魯賜
    - 蘭陵繆生
    - 徐偃
    - 鄒闕門慶忌
    - 瑕丘江公（大江公）
    - 魯許生
      - 韋賢
        - 韋玄成
        - 韋賞
    - 免中徐公
  - 穆生
  - 白生
  - 沛劉交
  - 劉郢

（申公「弟子爲博士十餘人」。「由是魯詩有韋氏學」）

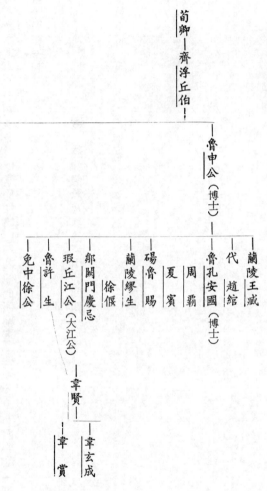

魯

- 許生
- 免中徐公
  - 東平王式
    - 山陽張長安（博士）—張游卿
      - 琅邪王扶
      - 陳留許晏（博士）
    - 東平唐長賓（博士）
    - 沛褚少孫（博士）
    - 沛薛廣德（博士）
      - 楚龔舍（博士）
      - 龔勝

（「由是魯詩有張、唐、褚氏之學。」「由是張家有許氏學」）

齊詩

齊轅固（博士）—夏侯始昌—東海后蒼（博士）

- 東海翼奉（博士）
- 東海蕭望之
- 東海匡衡（博士）
  - 琅邪師丹（博士）
  - 伏理
  - 斿君
  - 潁川滿昌
    - 九江張邯
    - 琅邪皮容

（「諸齊以詩顯貴，皆固之弟子。」「由是齊詩有翼、匡、師、伏之學」）

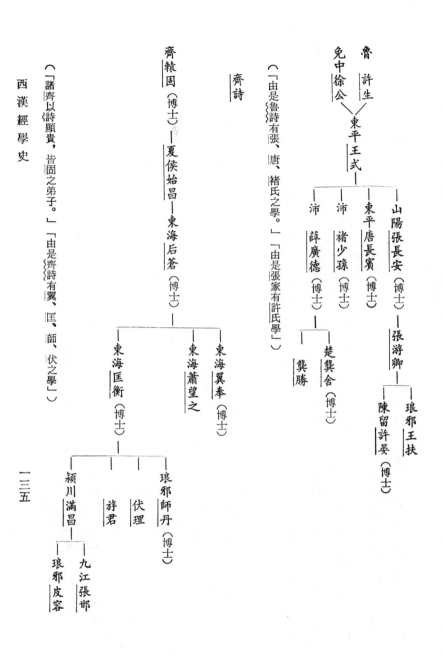

韓詩

燕韓嬰（博士）
- —河內趙子—河內蔡誼—
  - —河內食子公（博士）—泰山栗豐—山陽張就
  - —河內王吉—淄川長孫順（博士）—東海髮福
- —賁生
- …韓商（博士）…涿郡韓生

（「燕趙言詩者由韓生。」「由是韓詩有王、食、長孫之學」）

毛詩

子夏…魯大毛公（亨）…趙小毛公（萇、河間獻王博士）—河間貫長卿—解延年—徐敖—九江陳俠

（「言毛詩者本之徐敖」）

儒林傳：申公（名培）魯人也。少與楚元王交俱事齊人浮丘伯受詩。漢興，高祖過魯，申公以弟子從師入見於魯南宮。呂太后時，浮丘伯在長安，楚元王遣子郢與申公俱卒學。元王薨，郢嗣立爲楚王，令申公傅太子戊。戊不好學，病申公。及戊立爲王，胥靡申公，申公愧之，歸魯，退居家教，終身不出門，復謝賓客；獨王命召之乃往。弟子自遠方至受業者千餘人（史記作「百餘人」）。申公獨以詩經爲訓故（詁）以教，無傳（無引伸詩義之傳）；疑者則闕弗傳。蘭陵

王臧，既從受詩，已通，事景帝爲太子少傅，免去。武帝初卽位，臧乃上書宿衞，累遷，一歲至郎中令。及代趙綰，亦嘗受詩申公，爲御史大夫。綰、臧請立明堂以朝諸侯，不能就其事，乃言師申公。於是上使使束帛加璧，安車以蒲裹輪，駕（景祐本作「加」）駟迎申公，弟子二人乘軺傳從。至，見上，上問治亂之事，申公時已八十餘，老，對曰：「爲治者不至（一作「在」），王念孫以為作「至」者是）多言，顧力行何如耳」。是時上方好文辭，見申公對，默然。然已招致，卽以爲太中大夫，舍魯邸，議明堂事。太皇竇太后喜老子言，不說（悅）儒術。得臧、綰之過，以讓上曰：「此欲復爲新垣平也！」上因廢明堂事，下綰、臧吏，皆自殺。申公亦病免歸，數年卒。弟子爲博士十餘人。孔安國至臨淮太守，周霸膠西內史，夏寬城陽內史，碭魯賜東海太守，蘭陵繆生長沙內史，徐偃膠西中尉，鄒人闕門慶忌膠東內史。其治官民皆有廉節稱。其學官（史記「官」上有「學」字是。學官卽「學館」）弟子行雖不備，而至於大夫、郎、掌故以百數。申公卒以詩、春秋授，而瑕丘，江公盡能傳之，徒衆最盛。及魯許生，免中徐公，皆守學教授。韋賢治詩，事博士（王念孫曰「按景祐本無「博士」二字是也」）大江公及許生，又治禮，至丞相。傳子玄成，以淮陽中尉論石渠，後亦至丞相。玄成及兄子賞，以詩授哀帝，至大司馬車騎將軍，自有傳。由是魯詩有韋氏學。

附錄：漢書三十六楚元王傳：「楚元王交，字游，高祖同父少弟也。好書，多材藝。少時嘗與魯穆生、白生、申公俱受詩於浮丘伯，伯者，孫卿門人也。及秦焚書，各別去」。「漢六年……交爲楚王」。「元王旣至楚，以穆生、白生、申公爲中大夫。高后時，浮丘伯在長安，元王遣子郢客與申公俱卒業。文帝時，聞申公爲詩最精，以爲博士。元王好詩，諸子皆讀詩。申公始爲詩傳（據儒林傳，「詩傳」應為「詩訓故」），號魯詩。元王亦次之詩傳，號曰元王詩……申公爲博士失官，隨郢客歸，復以爲中大夫」。「初，元王敬禮申公等，穆生不耆（嗜）酒，元王每置酒，常爲穆生設醴（錢大昭引高誘注「醴以糵不以麴，濁而甜」）。及王戊（郢客之子）卽位，常設，後忘設焉。穆生退曰：「可以逝矣。醴酒不設，王之意怠；不去，楚人將鉗我於市。』稱疾臥。申公、白生強起之，……穆生曰：「易稱「知幾其神乎。……」先王之所以禮吾三人者，爲道之存故也。今而忽之，是忘道也……』遂謝病去。申公、白生獨留。王戊稍淫暴……二人諫，不聽，胥靡之（師古：「聯繫使相隨而服役之，故謂之胥靡」），衣之赭衣，使杵臼雅（碓）舂於市」。

王式字翁思，東平新桃人也，事免中徐公及許生。式爲昌邑王師。昭常崩，昌邑王嗣立，以行淫亂廢，昌邑羣臣皆下獄誅。唯中尉王吉、郎中令龔遂，以數諫減死論。式繫獄當死，治事使者責問曰：「師何以無諫書？」式對曰：「臣以詩三百五篇朝夕授王。至於忠臣孝子之篇，未嘗不爲王反復誦之也。至於危亡失道之君，未嘗不流涕爲王深陳之也。臣以三百五篇諫，是以無諫書。」使者以聞，亦得減死論。歸家不敎授。山陽張長安幼君先事式；後東平唐長賓、沛褚少孫，亦來事式，問經數篇，式謝曰：「聞之於師具是矣，自潤色之。」不肯復授。唐生、褚生應博士弟子選，詣博士，摳衣登堂，頌（讀曰「容」）禮甚嚴。試誦說，有法，疑者丘（闕）蓋不言（卽論語闕疑之義）。諸博士驚問何師？對曰事式。皆素聞其賢，共薦式。詔下除（師古：「下除」，官之書也」）爲博士。式徵來，衣博士衣而不冠。曰：「刑餘之人，何宜復充禮官？」既至，止舍中，會諸大夫博士，共持酒肉勞式，皆注意，高仰之。博士江公，世爲魯詩宗。至江公，著孝經說。心嫉式，謂歌吹諸生曰：「歌驪駒」；（伏虔曰：「逸詩篇名也。客欲去，歌之」）。式曰：「聞之於師，客歌驪駒，主人歌客毋庸歸。今日諸君爲主人，日尙早，未可也。」江翁曰：「經何以言之？」式曰：「在曲禮」。江翁曰：「何狗曲也！」式耻之，陽醉逿墬（師古：「逿，失據而倒也。墬古地字。逿音徒浪反」）。式客罷，讓諸生曰：「我本不欲來，諸生強勸我，竟爲豎子所辱！」遂謝疾免歸，終於家。張生、唐生、褚生皆爲博士，張生論石渠，至淮陽中尉。唐生楚太傅。由是魯詩有張、唐、褚氏之學。張生兄子游卿爲諫大夫，以詩授元帝。其門人琅邪王扶爲泗水中尉，陳留許晏爲博士。由是張家有許氏學。初、薛廣德亦事王式，以博士論石渠，授龔舍。廣德至御史大夫，舍泰山太守，皆有傳。

轅固，齊人也。以治詩，孝景時爲博士，與黃生爭論於上前。黃生曰：「湯武非受命，乃殺（史記作「弑」是）也。」固曰：「不然。夫桀紂荒亂，天下之心皆歸湯武。湯武因天下之心而誅桀紂，桀紂之民弗爲使而歸湯武，湯武不得已而立，非受命而（官本作「為」）何？」黃生曰：「冠雖敝，必加於首；履雖新，必貫（史記作「關」）於足，何者？上下之分也。今桀紂雖失道，然君上也。湯武雖聖，臣下也。夫主有失行，臣不正言匡過，以尊天子，反因過而誅之，代立南面，非殺（弑）而何？」固曰，「必若云，是高皇帝代秦卽天子之位，非耶？」於是上曰：「食肉毋食馬肝，未爲不知味也。言學者毋言湯武受命，不爲愚。」遂罷（史記此下有「是後學者莫敢明受命放弑者」句）。竇太后好老子書，召問固，固曰：「此家人言耳（意謂不足以治天下國家）」。太后怒曰：「安得司空城旦書乎！」（服虔：「道家以儒法為急，比之於律令也」）。按意謂儒書為治獄之書）！乃使固入圈擊彘。上知太后怒，而固直言無罪，乃假固利兵。下，固刺彘，正中其心，彘應手而倒。太后默然，無以復罪。後上以固廉直，拜爲清河太傅，疾免。武帝初卽位，復以賢良徵。諸儒（史記「儒」字上多一「諛」字）多嫉毀曰：「固老」，罷，歸之；時固已九十餘矣。公孫宏亦徵，仄目而事（史記作「視」）固；固曰：「公孫子，務正學以言，無曲學以阿世！」諸齊以詩顯貴，皆固之弟子也。昌邑太傅夏侯始昌最明，自有傳。

后蒼字近君，東海郯人也。事夏侯始昌。始昌通五經，蒼亦通詩、禮，爲博士，至少府。授翼奉、蕭望之、匡衡。奉爲諫大夫，望之前將軍，衡丞相，皆有傳。衡授琅邪師丹、伏理斿君、潁川滿昌君都。君都爲詹事，理高密太傅，家世傳業。丹大司空，自有傳。由是齊詩有翼、匡、師、伏之學。滿昌授九江張邯，琅邪皮容，皆至大官，徒衆尤盛。

韓嬰，燕人也。孝文時爲博士。景帝時至常山太傅。嬰推詩人之意，而作內外傳數萬言，其語頗與齊、魯間殊，然歸一也。淮南賁（師古：音「肥」）生受之。燕、趙間言詩者由韓生（按此韓生卽「韓嬰」）。韓生亦以易授人，推易意而爲之傳。燕、趙間好詩，故其易微，惟韓氏自傳之。武帝時，嬰嘗與董仲舒論於上前。其人精悍，處事分明，仲舒不能難也。後其孫商爲博士。孝宣時，涿郡韓生其後也。以易徵，待詔殿中，曰：「所受易，卽先太傅所傳也。嘗受韓詩，不如韓氏易深，太傅故專傳之。」司隸校尉蓋寬饒，本受易於孟喜；見涿韓生說易而好之，卽更從受焉。趙子，河內人也，事燕韓生，授同郡蔡誼，誼至丞相，自有傳。誼授同郡食子公與王吉。吉爲昌邑中尉，自有傳。食生爲博士，授泰山栗豐。吉授淄川長孫順，順爲博士，豐部刺史。由是韓詩有王、食、長孫之學。豐授山陽張就，順授東海髮福，皆至大官，徒衆尤盛。毛公，趙人也。治詩爲河間獻王博士，授同國貫長卿。長卿授解延年，延年爲阿武令，授徐敖。敖授九江陳俠，爲王莽講學大夫。由是言毛詩者本之徐敖。

附錄一：漢書五十三河間獻王傳：「河間獻王德，以孝景前二年立。修學好古，實事求是。從民得善書，必爲好寫與之，留其眞，加金帛賜以招之。繇是四方道術之人，不遠千里，或有先祖舊書，多奉以奏獻王者，故得書多與漢朝等。是時淮南王安亦好書，所招致率多浮辯。獻王所得書，皆古文先秦舊書。周官尚書，禮、禮記、孟子、老子之屬。皆經、傳、說、記、七十子之徒所論；其學舉六藝。立毛氏詩，左氏春秋博士」。

附錄二，鄭玄詩譜：「魯人大毛公爲詁訓，傳於其家，河間獻王得而獻之，以小毛公爲博士」。

藝文志：

詩經二十八卷、魯、齊、韓三家　應劭曰：申公作魯詩，后蒼作齊詩，韓嬰作韓詩。

魯故二十五卷

魯說二十八卷

齊后氏故二十卷

齊孫氏故二十七卷

齊后氏傳三十九卷　王先謙：「蓋后氏弟子從其學而為之傳」。

齊孫氏傳二十八卷

齊雜記十八卷

韓故三十六卷

韓內傳四卷

韓外傳六卷

韓說四十一卷

毛詩二十九卷

毛詩故訓傳三十卷

凡詩六家四百一十六卷　按六家當指魯詩、齊詩、后氏、孫氏，及雜記與韓詩、毛詩。

書曰：「詩言志，歌詠（永）言。」故哀樂之心感，而歌詠之聲發。誦其言謂之詩；詠其聲謂之歌。故古有采詩之官，王者所以觀風俗，知得失，自考正也（注六一）。孔子純取周詩，上采殷，下取魯，凡三百五篇。遭秦而全者，以其諷誦，不獨在竹帛故也。漢興，魯申公爲詩訓詁，而齊轅固、燕韓生爲之傳，或取春秋，采雜說，咸非其本義。與不得已，魯最爲近之。三家皆列於學官。又有毛公之學，自謂子夏所傳，而河間獻王好之，未得立。

1. 燕韓生卽韓嬰

首先應指出的是儒林傳韓嬰傳中的兩個「韓生」，及趙子事「燕韓生」，都是指韓嬰而言。只有韓嬰曾「推易意而爲之傳」；而蔡誼爲丞相在宣帝時，他受詩於趙子，趙子受詩於「燕韓生」，由時間上推定，此「燕韓生」也只能是韓嬰。只有「涿郡燕生」是「其後也」。胡秉虔西京博士考，以「燕韓生」疑卽韓嬰之孫韓商，在時間上並不吻合。漢志「魯申公爲詩訓詁，而齊轅固、燕韓生爲之傳」，正稱韓嬰爲「燕韓生」。班氏在一傳中旣稱「嬰」，又稱「韓生」，又稱「燕韓生」，一人而三種稱謂，爲他傳所未見，遂引起後人對此的混亂。其所以如此，殆因材料的來源不同，班氏偶疏整理之故。

2. 四家詩的經文及分卷問題

儒林傳對各經師的敍述都甚簡略，惟對申公、轅固及王式的敍述較爲詳贍而生動，藉此可稍窺見漢初儒生人格的風範，及博士們活動的鱗爪，彌爲珍貴。申公純厚，轅固剛正，王式謹嚴；而其出處之間，未嘗措心於利祿，則是完全一致的。申公在武帝前言爲政不至多言，其弟子之官民者「皆有廉節稱」。轅固在景帝前言湯武革命，戒公孫宏無曲學以阿世。儒家的微言大義，凜然如可捫觸，則訓傳的後面，實有眞精神的躍動，與宋、明的程、朱、陸、王，實有血脈上的流注，而因時代關係，氣象的博太，或且過之。惜乎宋儒未能由此等處了解漢儒；而清代喜言漢學者更抹煞其精神面貌，使他們只成爲零碎紙片的存在。這種互相阻隔，是中國學術史上的不幸。

陳喬樅魯詩遺說考敍謂「終漢之世，三家皆立學官，而魯學爲極盛」。這反映出了漢代詩學傳承中的事實。但有一點須加以澄淸。儒林傳中說申公「爲訓故以敎，無傳」；而楚元王傳中又說「申公始爲詩傳」。「傳」與「訓故」的性質並不相同。「訓故」是依經文字句作解釋；「傳」則是「推詩人之意」以立言。說、記的性質與傳略同。推詩人之意，則可不受文字的限制，作比較自由的發揮。漢志著錄，三家皆有「故」（訓故），齊詩有傳有記，韓詩有傳有說，魯詩則有說無傳。漢志說齊、韓詩的傳「皆非其本義」，可知齊、韓詩的重點在傳而不在故。說「與不得已，魯最爲近之」，可知魯詩的重點在故而不在說。魯故二十五卷當出於申公，魯說二十八卷則出於其後學。漢志說「魯申公爲詩訓詁」，與儒林傳相合，楚元王傳說「申公始爲詩傳」的「傳」字是一時的訛誤。

這裏應附帶說明兩點：第一點、漢志六藝略著錄之例，先出立於學官的經文，此卽所謂「今文」：經有古文者，雖未立官，雖無師說，亦出於今文之前。再著錄訓故章句傳記等。其經爲今文，但未立官而有師說傳世的錄於最後，有如毛詩。今文未立官而無師說傳世的不錄，僅在序中提出，如費氏易、高氏易。「易經十二篇，施、孟、梁丘」，這說明施、孟、梁丘三家的經文是同一經文本。書歐陽、大小夏侯，本同爲伏生的二十九篇，但歐陽氏所傳的是三十二篇，所以只著爲「經二十九卷」，不加「歐陽、大小夏侯」，班固特加以注明。「詩經二十八卷，魯、齊、韓三家」，這說明三家的經文是完全相同的。所以「石經以魯詩爲主」（注六二），實際卽是以三家詩爲主。乃陳喬樅「以儀禮及二戴記、禮記中所引佚詩，皆當爲齊詩之文」（注六三），一若齊詩與魯、韓二家詩的經文不同，可謂昧其本源，妄生枝節。又「石經魯詩殘碑，雖文與毛同……」（注六四）則毛詩的經文，亦與三家無異。四家詩偶有文字的異同，乃來自由古譯今時或傳鈔時的偶有訛誤，搜考出來，可供校勘之用。訓故上偶有異同，乃來自傳授者對文字的了解，間有出入，排比出來，可資訓詁上的比較。就清儒在這一方面努力的結果，大概是今文尚書及三家詩的異文多出於假借，而古文尚書及毛詩則多爲本字本義；所以古文尚書及毛詩的文義，多與爾雅符合。這並不是說他們所搜討出來的墜緒便沒有參考價值；但這種價值被他們誇張得超過了上述校勘與訓詁比較的限度，他們要拿這種零字片語，以作打倒他們之所謂古文的武器，而他們之所謂古文，有的並不是古文，如費氏易、毛詩；有的則既是古文，又是今文，如左氏春秋等，使兩漢經學，成爲一片空白，這便是不可饒恕的。從內容上言四家詩的異同，應在「推詩人之意」的傳而不在文字與故訓；但齊、魯詩的傳、說、記，皆早已亡佚，無可比較；就現存的韓詩傳及毛詩故訓傳中的傳來說，雖小有異同，但漢志所謂「其歸一也」的斷定，可應用於四家詩的詩傳，是客觀而合理的斷定。何至由此而張水火不容的門戶異同之幟。

第二點：王先謙在「詩經二十八卷，魯、齊、韓三家」下謂「此三家全經，並以序各冠其篇首」。在「毛詩二十九卷」下王氏謂「此蓋序別爲一卷，故合全經爲二十九」。此乃以詩序的分合，來解決卷數的異同，而不顧現存的事實。鄭玄毛詩箋在南陔、白華、華黍三逸詩序下箋謂：「此三篇「遭戰國及秦之世而亡之。其義則與衆篇之義合編，故存。至毛公爲故訓傳，乃分衆篇之義，各置於其篇端云」。據此，則三家詩序，原應與毛詩同樣的合編號爲一卷；其後是否「以序各冠其篇首」，及由何人開始「各冠其篇首」，今不能確論。惟毛詩由毛公將序「各置於其篇端」，有現存毛詩可證。王氏蓋不了解詩與書的分卷情形不同。書皆以篇爲單位，一篇一卷；其有一篇而分爲二卷或三卷的，亦皆有其一定的準據，並有明白的紀錄。詩則並非以一篇爲分卷的單位，每卷包含詩若干篇，有伸縮的餘地。所以與「詩經二十八卷」的數字相符的僅有「魯說二十八篇」，齊孫氏傳二十八卷」。此外則或多或少，並與「二十八卷」之數字不合，這與詩序的或分或合，並無關係。換言之，漢志所錄的「經二十八卷」，分明是「經」的卷數，未嘗將序計入。

轅固在武帝初年九十餘，則他爲博士雖在申公、韓嬰之後，但在劉邦得天下時，年已二十餘歲，其年齡約較申公長十歲左右（注六五）。惜傳中未詳其傳經的情形，不可因此便謂「三家之學，魯最先出」（注六六）。若以魯詩的傳承，始自浮丘伯，則浮丘伯乃齊人而非魯人，亦不可謂「魯最先出」。轅固在皇權鼎盛的皇帝面前，強調湯武革命，可謂能把握儒家政治思想中的眞精神，其所習者當不僅限於詩。太平御覽八十三皇王部伏生假設爲「湯曰」以發明湯放桀之義謂「夫天下者非一家之有也，唯有道者之有也」。他所傳承的儒家天下爲公的政治思想與轅固正同。由湯武革命所象徵的「反家天下」的政治思想，雖因景帝的抑壓，爲後起儒生所不敢明，乃轉而談堯舜禪讓，眭孟、蓋寬饒，至因此而犧牲生命，是西漢儒家「官天下」的政治理想，亦卽「天下爲公」的政治理想，並未完全被「家天下」的專制統治所壓伏。

按魯詩亡於西晉，而齊詩則至魏已亡（注六七）。其遺說見於漢書蕭望之、匡衡、師丹各傳奏疏中的，多爲諸家之通義。乃陳喬樅齊詩遺說考，特劃定儀禮、戴記、漢書、荀悅漢紀、春秋繁露、易林、鹽鐵論、申鑒諸書中有關詩的材料，作爲齊詩的範圍，採輯以成齊詩遺說，可謂荒謬絕倫。至翼奉傳所載翼奉「四始五際六情」之說，乃受夏侯始昌以陰陽五行傳會洪範言災異的影響，他把這一趨向，拓展於詩的領域，而更向旁枝曲徑上推演，以成怪異不經之說，既無與於詩教，亦非轅固之所及料。史記孔子世家中所稱四始，與毛詩四始之義相合；史公不習毛詩，蓋此乃諸家的通義；可知翼奉以「水始、木始、火始、金始」爲四始，史公時尚未出現。乃有的清儒竟以此爲齊詩的特徵，可謂誣妄之甚。

韓詩內外傳的問題，我另有專文研究（注六八）。它的轉承至隋初尚微而未絕。轉較齊魯、詩爲幸運（注六九）。

3. 毛詩乃今文而非古文及其傳承問題

按漢代諸侯王提倡學術，爲朝廷大禁。毛詩因河間獻王曾爲之立博士，此雖爲諸侯王官制所應有，但毛詩及左氏傳皆因此受到抑壓（注七〇），不僅未立於學官，且儒林傳的毛公傳特爲簡略，徒裔中更無顯官，其傳承可謂不絕如縷，遂由此衍生出許多問題。首先應指明的是，漢初經文，傳自先秦之祖本，皆爲古文，毛詩的祖本亦必爲古文。但入漢而行於世的則皆爲今文，毛詩亦必爲今文。河間獻王所得「先秦古文舊書」中，沒有毛詩及左氏傳；此觀於漢志著錄的情形，是可以斷定的。所以在受到博士們擯斥的這一點上，毛詩與左氏傳是相同的。但左氏傳除了民間流佈的今文本外，尚有孔壁發現的古文本，而毛詩則入漢後並無古文本。後人常將毛詩與古文派並爲一談，很明顯是一種錯誤。

漢志談到毛詩時說「自謂出於子夏」，後人多以此爲傳疑之詞。但從先秦已可找到毛詩的踪影；河間以外，也有毛詩的踪影的這種事實來說，其源遠流長，是無可置疑的。晏子春秋、賈誼新書已有數處援引，韓詩外傳、新序、說苑、列女傳所援引有數十條之多；其爲先秦舊典，應無疑問。晏子春秋中有十六次引詩，王先謙以著者爲齊人，故卽以所引者爲齊詩。但晏子春秋集釋的著者吳則虞，認爲「晏子引詩，多與毛合，而與齊、魯之說不同」(注七一)，實較王先謙之說爲有據。則是在先秦已可找到毛詩的踪影。淮南子係集體著作，其中引詩者非僅出於一人。但泰族訓：「關雎興於鳥，而君子美之，爲其雌雄之不乖居也。鹿鳴興於獸，君子大之，取其見食而相呼也」；這便不能不說是出於毛詩。河間、淮南兩王，均活躍於景、武之際，而聲氣不相及，則是在河間以外，尚可找到毛詩的踪影。惜淮南一支，隨淮南的寃獄而被消滅了。若更推而上之，孔孟及春秋內外傳言詩，多與毛詩義合，前人多有言及(注七二)。由此也可以說，傳毛詩的人，自謂其出於子夏，不可謂其無此可能。至陸璣詩蟲魚草木疏謂子夏傳曾申，申傳魏人李克，克傳魯人孟仲子，孟仲子傳根牟子，根牟子傳趙人孫卿子，孫卿子傳魯人大毛公。經典釋文叙錄載「徐整云，子夏傳高行子，高行子授薛倉子，薛倉子授帛妙子，帛妙子授河間人大毛公……」。這兩說都是在毛詩被抑壓之下，有人僞造出兩種單傳統緒以自重，其不足信，至爲顯然。

4. 詩序問題

現在談到聚訟紛紜的詩序問題。三家詩也可能有序（注七三），但因不見全序而不知六篇之亡失，因而以詩僅有三百五篇（注七四），恐亦係事實。不過，三家詩的經文已早經亡失，即使有序，也只能像魏源們樣，得之於摭拾傅會之中（見注七二）。今日有完整的經文，有完整的詩序者惟有毛詩。但自宋以來，對詩序的作者，價值等問題，已紛紜不已。淸今文學家，更以排擊詩序爲否定古文經學的重要手段之一。下面試就「作者問題」與「價值問題」分別加以討論。

詩序的作者問題：詩序的作者問題，影響最大的可分爲兩說。一爲後漢書儒林列傳以詩序作於衞宏之說。儒林列傳中衞宏傳「初，九江謝曼卿善毛詩，乃爲其訓；宏從曼卿受學，因作毛詩序，善得風雅之旨，於今傳於世」。凡認詩序爲無價値者多主此說。所持最大理由，是以此乃載於正史，明而有徵。另一爲鄭玄以詩序作於子夏之說。詩常棣疏引鄭志，鄭答張逸曰「序子夏所爲，親受聖言」。關雎序首句下引沈重云，「案鄭詩譜意、大序是子夏作，小序是子夏、毛公合作（注七五）。卜商（子夏）意有不盡，毛更足成之」。尊毛詩因而尊詩序者多主此說。隋書經籍志「詩序子夏所創，毛公及敬仲（衞宏）又加潤飾」。此乃調停之說。

在論定詩序是誰所作以前，首先由三點斷定它決非出於衞宏。㈠在劉歆七略著錄「毛詩故訓傳三十卷」時，毛詩已經定型。只要把詩序與毛詩傳作一番比較，卽可發現毛詩傳有的地方是補充序，推廣序的；例如魚麗傳「太平而後微物衆多」一辭，乃推廣序的「故美萬物衆多」之語。車攻傳盛言田獵之法，乃推補充序「復會諸侯於東都，因田獵而選車徒焉」之意。由此可斷定毛詩故訓傳定篇著錄時已經有了詩序。衞宏生於西漢之末，而活躍於東漢之初，此斷非他的年齡所能及。且南陔、白華、華黍三逸詩下鄭箋謂此三詩「遭戰國及秦之世而亡之，其義（由序所言之義）與衆篇之義合篇，故存。至毛公爲故訓傳，乃分衆篇之義，各置於其篇端」。鄭氏此說，必有所承，且與書序易傳先合後分之情形相應，則序在毛傳之前，斷無可疑之處。㈡鄭玄是經學家，范蔚宗是史學家。以生年論，鄭玄約早范氏百年。鄭玄先從張恭祖受韓詩；晚得毛詩故訓傳，乃爲之作箋，這是出於一種選擇而非出於門戶之見。他註詩雖「宗毛爲主」（六藝論）然其中亦間採用韓詩之說。他的詩譜及六藝論，於大小毛公，孟仲子、解延年輩，並能擧其行義爵里（注七六）。這是來自毛詩的傳授。由衞宏經賈逵、鄭興、鄭衆父子到馬融，毛詩的傳承，約略爲三世。鄭玄爲馬氏門人；若衞宏曾爲毛詩作序，這是經學中的一件大事，豈有不一併傳佈下來，而爲鄭玄所不知之理。鄭玄曾爲尚書大傳作注，爲乾鑿度作注，又何嫌於衞宏的詩序，而不加承認。早范蔚宗約百年，且曾爲毛詩作箋的鄭玄，不知有衞宏作序之事，范氏何由得而知之。范生於經學傳統幾乎絕滅之後（注七七），故儒林列傳中訛誤甚多。今不信鄭而信范，在資料判斷上是一種顚倒。㈢從詩序的內容說，不可能出於衞宏之手。在毛詩及其詩序未顯於世以前，已如前所述，西漢儒生以孔子刪詩，本爲三百五篇。這分明不知道還有「有其義而亡其辭」的南陔等六亡詩。若此六亡詩之序，不先存在於衞宏之前，則衞宏何所憑藉，又有何需要，而作此六篇之序；毛公又何緣而補「有其義而亡其辭」一句。因有此六詩之序，而始有其義。因作序者曾看到此六詩，不僅在序中確指其義，且在小雅六月的詩序中作親切地援引，這不是虛擬懸造可以作到的。此外，從詩的首句採用一、兩字或全句以爲詩名，如關雎、鵲巢之類，此乃四家詩所同，來自久遠的傳統。定一篇的詩名，乃作序的前提條件，故詩序必首稱詩名。若詩序係衞宏所作，亦必守「定篇名」的成例。乃周頌：「酌，告成大武也。言能酌先祖之道以養天下也」。正義：「此經無酌字。序又說其名篇之意」。又「桓，講武類禡也。桓，武志也」。正義：「桓字雖出於經，而與經小異」。「賚，大封於廟也。賚予也。言所以錫予善人也」。正義：「經無賚字。序又說其名篇之意」。「般、巡狩而祀四嶽河海也」。正義：「經無般字，序又說其名篇之意」。按此種定篇名的例外，只能推測其來自久遠的傳統，豈衞宏所敢妄作。且秦以前皆稱四嶽。秦統一天下以後，五嶽之名，開始出現。至西漢，則除援引先秦古典，如堯典之四嶽外，無不稱五嶽。由序中「四嶽」一詞卽可反映出詩序豈僅非衞宏所作，亦非出於趙毛公之手。

詩序的價值問題：我應指出，詩序出現時代的先後，可作判定文獻價值的標準，不一定可作判定詩教價值的標準。同時，若認詩序爲有價值，不等於說每一序皆無瑕疵。若認爲無價值，也不等於說每一序皆無意義。最重要的是應當看出作詩序者的用心所在。詩序可方便以首一句或二句爲小序，以次的文句稱爲大序，但內容都是一貫的。所以在價值衡斷上，應作統一的考查。

我在先漢經學的形成一文中曾特別指出，周公作詩，本以作教誡之用。據國語周語邵公諫厲王的話，陳詩本以作教誡之資（注七八）。此卽所謂古人的「詩教」。我在這裏應首先點明的是，作詩序者的用心，乃在藉詩序以明詩教。例如朱熹很討厭詩序，他對鄭、衞中的戀詩逕指爲「此淫奔之詩」，或「此亦淫奔之詩」。這在解釋上應算是一種解放，或更符合詩的本意。但，與孔子所謂「詩三百一言以蔽之，思無邪」之意，相去甚遠，且與古人的詩教有何關涉？詩序則將此類之詩，並歸結爲在上者政教之失。有如「靜女，刺時也。衞君無道，夫人無德」。「桑中，刺奔也。衞之公室淫亂，男女相奔，至於世族在位相竊，妻妾期於幽遠，政散民流而不可止」。「氓，刺時也。宣公之時，禮義消亡，淫風大行……」「溱洧，刺亂也。兵革不息，男女相棄，淫風大作，莫能救焉」。每一詩序，都有敎誡的用心在裏面，此之謂藉序以明詩敎。就文意的解釋上說，較朱熹多繞了一個圈子。但正因爲如此，視線的角度放寬了，反映的歷史、社會背景也比較擴大了。其中有的詩序與詩的文意不太相切合；有如齊風的鷄鳴，還有像秦風的蒹葭、晨風等，大約可以一共數出二十多首。這二十多首中，尤以小雅中指爲刺幽王之詩，有如楚茨以次，約有十五首(注七九)詩中並無刺意，序則以爲「故君子思古焉」，卽是陳古之義，以與今之惡相對照，乃以古諷今，敬仍爲「刺詩」。此點尤爲攻擊詩序者衆矢之的。但若了解上述各詩成立的時代，及陳詩編詩的目的，則詩序的思古以諷今，正符合詩敎的傳統。且關雎毛詩序以爲詠后妃之德，三家詩則以爲刺康王宴起之詩。合而觀之。則正是思后妃之德，以刺康王宴起，知周室將衰，與詩序的基本用心正合。前引以經文所無之字爲周頌的詩名，恐怕是爲了由正面向主祭的王提出敎勉之意。據詩序，應可知政治上向統治者的歌功頌德，是如何爲中國詩敎所不容。此外，許多詩，賴詩序述其本事，而使後人得緣此以探索詩的歷史背景，政治社會背景；更爲對詩義的了解，提供一種可以把握的線索；這與詩敎互相配合，也有莫大的價値。攻擊詩序的人，對上兩端，可謂毫無理解。

我應再進一步指出，詩序的作者，曾經作了一番努力，想把各篇之詩，組合貫通，使成爲一有系統的詩教。這在詩序作者的判斷上，也有其重要性。關雎詩序，因關雎爲「風之始」，也是三百十一篇詩之始，所以便統論詩教的成立，及全部詩經的大旨；這是極有系統的一篇文章，在中國文學批評史上佔有非常重要的地位。就文章的風格說，它是屬於先秦儒家傳記的風格。經義考卷九十九引范處義一段話中有謂「先儒有知其說者，謂繫辭爲易大傳、詩序爲詩大傳」，這是很有意義的觀點。有人以韓、柳古文運動以後的文章格局去了解它，而譏諷它凌亂沒有條理，乃非常可笑的。其次，詩序中，有的是以事爲主題加以組合。例如周南「關雎、后妃之德也」。「葛覃，后妃之本也」。「卷耳，后妃之志也」。「樛木，后妃之逮下也」。「螽斯，后妃子孫衆多也」。「桃夭，后妃之所致也」。「兎罝，后妃之化也」。「芣苢，后妃之美也」。再加上「漢廣，（文王）德化所及也」。「汝墳，（文王）道化行也」。而收之以「麟之趾，關雎之應也」。這便把周南組合成爲一個系統。召南各詩內容比較參差；但篇首「鵲巢，夫人之德也」；末篇「騶虞，鵲巢之應也」。則依然想作有系統的組合。豳風「七月，（周公）陳王業也」。「鴟鴞，周公救亂也」。「東山，周公東征也」。「破斧，美周公也」。九罭、狼跋，都是「美周公也」。這是以周公爲主題的系統。小雅「采薇，遣戍役也。文王之時，西有昆吾之患，北有玁狁之難，以天子之命，命將帥、遣戍役，以守衞中國，故歌采薇以遣之，出車以勞還，杕杜以勤歸也」。這便把三詩組合在一起以成一系統。還有以義爲主題而貫通成爲系統的。例如小雅「魚麗，美萬物盛多，能備禮也。文王以天保以上治內，采薇以下治外。始於憂勤，終於逸樂，故美萬物衆多，可以告於神明矣」。這便把小雅的意義，從正面貫通，成爲一個系統。又「六月，宣王北伐也。鹿鳴廢，則和樂缺矣。四牡廢，則君臣缺矣。皇皇者華廢，則忠信缺矣。……南陔廢，則孝友缺矣。白華廢，則廉恥缺矣。華黍廢，則蓄積缺矣。由庚廢，則陰陽失其道理矣。……小雅盡廢，則四夷交侵，中國微矣」。此序凡二百一十四字把小雅的意義，從反面貫通成一個系統。其他各部份的詩，都可看出小序、大序這種共同的努力。這種方式的努力，當然要繞些圈子，甚至有的近於傅會；但作者所以這樣做，乃出於以政治教育爲目的的詩教，因教學上有此要求，使受教者容易接受。

現在回到作序者是誰的問題上面。關雎大序「國史明乎得失之跡，傷人倫之廢，哀刑政之苛，吟咏性情，以諷其上」。這幾句話，反映出詩是國史由改善政治的要求所陸續編輯。藉以達到教育目的（「以諷其上」）的。以常情推測，編輯之初，每詩應給一標題，以便識別（注八〇），前面已經提到，這可以說是作序的前提。在標題後，對詩的來源或內容加一句簡單的說明，以作吟詠施教時的發端，這是順理成章的要求。因此，標題與標題下一句的序，應當是同時進行的。國史收一首詩，便加一標題，在標題下加上一句提要性的說明，所以詩是陸續編成，詩序也是陸續寫成的。從左氏傳及國語中引詩的情形看，當時的標題，與毛詩的標題無異。毛詩周頌的酌，左氏傳作汋，孔穎達以爲「古今字耳」；但也可能左氏傳是因形近而誤。三家詩的標題，與毛詩無異，這即說明四家之詩，都出於一個根源，應當有共同的小序。毛詩有六十四篇詩，有小序而無大序，這即反映出小序爲每詩所必有，而大序則可有可沒有，它是從小序發展出來的。假定上面的推定可以成立，則著有「千古卓絕之書」——詩緝（注八一）的宋代嚴粲，認序爲史官所作，若他的話是專指小序而言，這應當是定論。且作此看法者非僅嚴粲一人。例如二程遺書卷十八伊川語五「詩小序便是當時國史作。如當時不作，雖孔子亦不能知，況子夏乎？大序則非聖人不能作」。並且由此可以推定四家詩有共同的標題，即應有共同的小序（注八二）。孔子删詩之說不可信，但詩是經過了孔門的整理（注八三）而傳承下來的。「文學子游、子夏」（注八四），子游偏重禮，子夏偏重詩、書、春秋，則漢四家之詩及其序，可謂皆屬於子夏的傳承統緒。惟詩義多爲象徵的性質，而詩教更是由象徵以說義。於是在傳承中各經師因聞見之殊，資性及經歷之異，對小序發生了某種程度的修正，因而成爲大同小異的情形，這和字形音讀訓解的間有異同，乃勢所難免。但不應因此而代他們樹立森嚴的壁壘。邶柏舟毛序以爲仁人不遇而作，朱熹據劉向列女傳，以爲婦人之作。但劉向上封事論弘恭、石顯傾陷正人時，引此詩的「憂心悄悄，慍於羣小」，而繼之曰：「小人成羣，亦足慍也」，則正與毛詩序之意相合。及毛詩發展小序以爲大序，三家詩發展小序以爲詩傳、詩說，其出入因而擴大，亦自然之勢。假定轅固、韓嬰們「推詩人之意」所作的傳，雖然較毛詩的大序推得更遠，但其原來的基本性格，實同於毛詩的大序，不應算是不合理的推測。反過來，我懷疑「毛詩故訓傳」的「傳」，指的即是大序。因爲「序」與「傳」的基本性格相同，在兩漢可以互用。史記自序即是自傳；漢書的自傳稱爲「序傳」；馬融的周官傳即後人之所謂周官序（注八五），漢書律歷志「是時御史大夫兒寬明經術」；「寬與博士賜等議，皆曰……推傳序文，則今夏時也」；其「傳序」並稱，爲諸儒所同，更爲明白。由此可知「毛詩故訓傳」的「故訓」是解釋詩的文字；而所謂傳，是小序、大序的總稱。可能今日的所謂「小序」，原稱爲「詩序」；及將原來的詩序發展而爲大序，便可稱之爲「傳」了。否則「毛詩故訓傳」中發揮詩義的傳，何以少得與「故訓」不成比例。漢中期以後，傳與注的性格漸相混淆，於是「毛詩故訓傳」的「故訓傳」成爲一個複詞。鄭玄因大序與小序連貫在一起，又以其位於一篇之首，也只視爲與「故訓傳」相對舉的詩序，恐非毛公本意。後人之所謂小序、大序，以字數之多寡言，字數少，故稱「小序」；字數多，故謂「大序」。但鄭玄將後人之所謂小序者稱爲大序，將後人之所謂大序者稱爲小序，則他不是以字數定大小，而是以先後輕重定大小；他以出於子夏者爲大，成於毛公者爲小。

由上所述，應當可以了解從小序到大序，是一發展過程。此發展，到毛公而始完成，所以詩序除了原始作者周室之史官外，一定要把毛公加在裏面。這裏順便對「毛公」的問題略作考查。

5. 毛公的問題

漢書儒林傳僅謂「毛公，趙人也，治詩，爲河間獻王博士」。此毛公後漢書儒林列傳稱毛萇。鄭玄詩譜云「魯人大毛公爲詁（故）訓傳於其家，河間獻王得而獻之，以小毛公爲博士」；此較漢書儒林傳多出一大毛公，鄭氏必有所據。晉陸璣詩草木虫魚疏序謂「毛亨作詁訓傳，以授趙國毛萇，時人謂亨大毛公，萇小毛公」（注八六）。至此而漢書「毛公」的內涵始稍爲明瞭。小毛公萇的時代，可由河間獻王的年代來推定，當爲漢初人，約略與申公、轅固、韓嬰同年輩；則大毛公當爲秦、漢間人，約略與浮丘伯同年輩。把今日之所謂詩大序包括在內的詩故訓傳，應當是創始於大毛公，而完成於小毛公爲河間博士之時；亦猶漢志稱轅固推詩人之意以爲之傳，而著錄則僅有「齊后氏傳三十九卷」，蓋亦始於轅固而成於后蒼是同樣的情形。毛詩大序亦可稱毛詩傳，其中有來自周室之史的小序，再更經過了孔門詩教的久遠傳承；我懷疑也有漢初的影響。毛詩與三家詩最大的出入，在三家詩以關雎爲衰世之詩，而毛詩則由正面加以肯定，並通過周南以特別強調后妃在政治上的重大作用；這雖在周初有其根據，我懷疑也受有呂后專政的衝擊，因而思周南之古，以諷漢初呂后專政幾覆漢室之今的用意在裏面。小序僅言「采薇，遣戍役也」。大序則推到「文王之時」，給以很高的評價。六月大序，亦深以「四夷交侵中國微」爲懼，這可能是來自文、景時代，匈奴猖獗的背景。

齊詩亡於魏，魯詩不過江東，韓詩僅存詩傳十卷，其中亦有殘缺，僅毛詩故訓傳，完整地傳了下來，眞可謂魯殿靈光，實中國文化，也是人類文化的大幸。今日欲言四家詩優劣，乃向壁虛造之談，實無比較的基礎。清人爲三家詩所作的輯佚工作，存千百於一二，在學術上也極可寶貴。但從事此種工作的人多先存一賤毛而尊三家的成見，並於無可摭拾中出之以附會。至魏源、皮錫瑞輩，則誇張片言隻字，以爲摽剝毛詩故訓傳之資，羅織誣詆，連序傳之通於左傳、國語、孟子者亦加以排擊，故訓絕大部分通於爾雅者亦加以否定；窮氣竭力，必將毛詩加以徹底唾棄而後已。若他們的目的達到，則西漢竟無一部解釋經典的完整著作遺傳下來；而今文家的所謂詩三百五篇，也只有輯佚所得的片言隻語及極少的不完全詩句；門戶偏蔽之私，竟發展至喪心病狂的程度，這眞是言漢代經學，言漢代思想的一大厄運，一大陷阱。

(五) 禮的傳承及其傳承中的問題

- 魯高堂生
  - ……瑕丘蕭奮（注八七）——東海孟卿
    - 后蒼（博士）
    - 魯閭丘卿
  - ……魯徐生
    - 徐延
    - 徐襄
    - 公戶滿意
    - 桓生
    - 單次

（「諸言禮爲頌（容）者由徐氏」）

- 后蒼
  - 沛聞人通漢子方
  - 梁戴德延君——琅琊徐良斿卿（博士）
  - 戴勝次君（博士）
    - 梁橋仁季卿
    - 楊榮子孫
  - 沛慶普孝公
    - 魯夏侯敬
    - 沛慶咸

（「由是禮有大戴、小戴、慶氏之學」。「由是大戴有徐氏，小戴有橋、楊之學」）

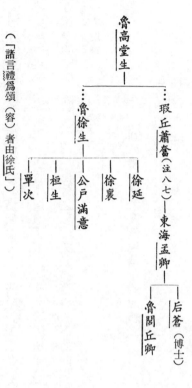

儒林傳：漢興，魯高堂生（注八八）傳士禮十七篇。而魯徐生善爲頌（容）。孝文時，徐生以頌（容）爲禮官大夫，傳子至孫延、襄。襄，其姿性善爲頌（容），不能通經。延頗能，未善也。襄亦以頌（容）爲大夫，至廣陵內史。延及徐氏弟子公戶滿意、柏（應作「桓」）生、單次，皆爲禮官大夫。而瑕丘蕭奮，以禮至淮陽太守。諸言禮爲頌（容）者由徐氏。

孟卿，東海人也。事蕭奮，以授后蒼、魯閭丘卿。蒼說禮數萬言，號曰后氏曲臺記，授沛、聞人通漢子方、梁戴德延君、戴聖次君、沛慶普孝公。孝公爲東平太傅。德號大戴，爲信都太傅；聖號小戴，以博士論石渠，至九江太守。由是禮有大戴、小戴、慶氏之學。通漢以太子舍人論石渠，至中山中尉。普授魯夏侯敬，又傳族子咸，爲豫章太守。大戴授琅邪徐良斿卿，爲博士、州牧、郡守，家世傳業。小戴授梁人橋仁季卿，楊榮子孫。仁爲大鴻臚，家世傳業，榮琅邪太守。由是大戴有徐氏，小戴有橋、楊氏之學。

藝文志：

禮古經五十六卷　儀禮疏「古文十七篇、與高堂生所傳同，而字多不同。餘三十九篇、絕無師說、秘在於館」。

經七十篇　原注：「后氏、戴氏」。補註「劉敞曰、此七十與後七十，皆當作十七」。

記百三十一篇　原注「七十子後學者所記也」。

明堂陰陽三十三篇　原注：「古明堂之遺事」。補注：「王應麟曰隋牛弘曰：案劉向別錄及馬宮、蔡邕等所見，當時有古文明堂禮，王居明堂禮，朝堂圖、明堂大圖、明堂陰陽泰山通義，魏文侯孝經傳，並說古明堂之事，其書皆亡」。

王史氏二十一篇　原注「七十子後學者」。師古：「劉向別錄云，六國時人也」。

曲臺后倉九篇　文選注引「七略曰、宣皇帝時、行射禮、博士后倉為之辭，至今記之曰，曲臺之記」。

中庸說二篇　按卽今禮記中之中庸別行者。

明堂陰陽說五篇。

周官經六篇。

周官傳四篇。

軍禮司馬法百五十五篇。

封禪議對十九篇　原注「武帝時也」。

議奏三十八篇　原注：「石渠」。

凡禮十三家五百五十五篇

易曰：「有夫婦父子君臣上下，禮義有所錯（師古：「序卦之辭也」）。」帝王質文，世有損益。至周曲爲之防，事爲之制。故曰：「禮經三百，威儀三千。」及周之衰，諸侯將踰法度，惡其害己，皆滅去其籍，自孔子時而不具。至秦大壞。漢興，魯高堂生傳士禮十七篇。迄孝宣世，后倉最明。戴德、戴聖、慶普皆其弟子，三家立於學官。禮古經者，出於魯淹中（蘇林：「里名也」），及孔氏，學七十篇文相似（補注「劉敞曰，當作「與十七篇文相似」」），多三十九篇。及明堂陰陽、王史氏記所見，多天子諸侯卿大夫之制，雖不能備，猶瘉倉等推士禮而致於天子之說。

1. 儒林傳未受劉歆周官影響

按將儒林傳與藝文志相比較，藝文志有周官經、周官傳。班固甚信周官出於周公，而儒林傳的下限到了王莽的講學大夫，但未曾一言及周官，是班固所據以寫儒林傳的材料未有周官。藝文志有軍禮司馬法百五十五篇，儒林傳未曾一言及之，是因爲周官五禮中有軍禮，故劉歆由兵家中分出司馬法以充數，此亦爲儒林傳中的禮家所未聞。儒林傳述禮的傳承，至成帝時代而絕，較其他各經傳承的時間爲短，因王莽們的「制禮作樂」，僞造周官，而其統緒因之紊亂。錄周官爲經，而未曾標爲古文，這說明當劉歆補入周官時，未曾以古文的姿態出現，因其本不是以古文書寫。關於周官問題，我已另有專文討論(注八九)，指出其出於王莽，而成於劉歆，此處不再涉入。

2. 大小戴記問題

儒林傳所敍者皆以儀禮(注九〇)爲主，此即藝文志之所謂「經」；大小戴及慶氏之立官，皆以其所習之經，而非以其所編之「記」。禮記雜記謂「哀公使孺悲學士喪禮於孔子，喪禮於是乎書」。章太炎釋之曰、「士喪禮於是乎書者，謂自此後著竹帛，故言書不言作」(注九一)。而孔子之書，亦必有所本；推其起源，殆亦始自周公，更加積累，由周室之史，編整而成。藝文志謂「猶愈倉等推士禮而致於天子之說」，此乃劉歆爲逸禮三十九篇不得立於學官鳴不平而發。實則儀禮中士禮十一篇，是因「天下無生而貴者」(注九二)，天子之子亦猶士，故可推而至於天子。但喪服一篇，則總包天子以下之等差。而燕禮、大射、聘禮、公食大夫、覲禮五篇，皆諸侯之禮。漢志之言並不恰當。

禮的典籍，給後世以很大影響的，首推小戴記，此在元、成時代，已稱爲「禮記」。漢書六十七梅福傳載匡衡以孔子世爲殷後議，已有「禮記曰」。其次是大戴記。六藝論謂「戴德傳記八十五篇(現存三十九篇)，則大戴記是也。戴聖傳四十九篇，則此禮記是也」。這在儒林傳中皆未直接提到，藝文志則僅有「記百三十一篇」。大小戴記與「記百三十一篇」的關係，說者不一。錢大昕以記百三十一篇，乃合大小戴記而言。禮記中的曲禮、檀弓、雜記、因篇簡繁重，各分爲上下；合此三篇之上下言之，始爲四十九篇。若僅以篇目計，則爲四十六篇，合大戴記之八十五篇，正協百三十一篇之數，錢說最爲合理。兩記中雖頗有重複（注九三），但著錄時，只會以兩書之篇目計數，不可能逐篇檢校其內容，故總爲百三十一篇之數；否則記百三十一篇及大小戴記，皆無由探索其下落。

兩戴記中有的是出於古文而改隸爲今文，有的則漢初以來卽爲今文，有的則出於漢初的儒者，今不可得而詳考。兩戴乃各就自己可以入手的材料，於宣帝時各自加以整理編纂成書。未編纂成書以前，有的已單篇流行於社會。賈誼已引王制、學記、曲禮。公孫弘乞骸骨疏已引有中庸，其他在宣帝前稱「記」、稱「傳」、稱「禮」而加以援引者甚多，卽反映此種事實。晉陳邵周禮論序謂大戴刪古記二百四篇爲八十五篇，謂之大戴記，戴聖刪大戴記爲四十九篇，是爲小戴記。後漢馬融、盧植考諸家同異，附戴聖篇章。經典釋文敍錄既著此說，隋志加以承襲，並以戴聖刪大戴之書爲四十六篇，而月令，明堂位，樂記三篇，爲馬融所補足。清儒戴震、錢大昕、臧鏞堂、陳壽祺、吳文起、黃以周等，並證其荒誕。蓋鄭玄注禮記，於每一篇目之下，必記明此於劉向別錄屬於某類。月令、明堂位、樂記三篇，皆劉向別錄所有，何得謂爲馬融所增。後漢書橋玄傳：「七世祖仁，著禮記章句四十九篇」，橋仁卽戴聖的弟子，成帝時爲大鴻臚，其時已稱四十九篇，豈待馬融增入三篇而始足此數。

3. 禮在經學中的特別意義

儒林傳敍禮的傳承情形，與他經相較，似較爲單寒。但史記儒林列傳雖謂「禮固自孔子時而其經不具。及至秦焚書，書散亡益多」，此乃就紀錄禮之儀文節目的典籍而言。實則「立於禮」、「約之以禮」，人的性格、行爲，皆應以禮爲節制；並以禮爲「爲仁」的工夫，此乃孔子立教的最大特色之一。所以孔子的後學，由古禮以發現禮意，卽發現古禮中原有的精神及可能發展出的精神，由此對禮加以新評價，新解釋，以期在時代中有實現個人、社會、政治上合理生活方式的實踐意義，作了長期的努力；此觀於大小戴記中先秦的遺篇而可見。春秋三傳亦無不以禮爲綱維、爲血脈。這不是其他各經所能比擬的。漢承秦大一統的龐大帝國，除刑法、官制、襲秦之餘緒以外，此龐大帝國上下相與，人倫相接的合理軌跡，可以說是一片空虛，這不是叔孫通的朝儀可以充數的。於是西漢儒者，由賈誼以降，莫不繼先秦儒者的努力，希望以重新評價之禮，來塡補此一空虛，將政治、社會、人生的運行，規整於更合理的軌轍之上。此司馬遷史記中禮書、樂書的所以成立。而在西漢的重要奏議中，幾乎無不涉及禮的問題。由此可以反映出，西漢儒生幾乎無不學禮，無不言禮；也等於無不學論語、孝經的情形一樣。此種事實及其意義，是遠在儀禮傳承系統之上的。

(六)春秋的傳承及其傳承中的問題

春秋有公羊、穀梁、左氏三傳，分別表其傳承於下：

公羊

- 齊胡毋生(博士)……「齊之言春秋者宗事之」
  - 公孫弘
- 趙董仲舒
  - 東平嬴公
    - 琅邪貢禹
    - 東海孟卿—蘭陵疏廣(博士)—琅邪筦路—潁川孫寶
    - 魯眭孟
      - 琅邪貢禹—潁川堂谿惠—泰山冥都
      - 東海嚴彭祖(博士)—琅邪王中
        - 琅邪公孫文
        - 東門雲
      - 魯顏安樂
        - 淮陽冷豐
          - 琅邪左咸
          - 東海馬宮
        - 淄川任公
        - 泰山冥都
        - 琅邪筦路
  - 蘭陵褚大
  - 廣川段仲
  - 溫呂步舒

(「由是公羊有嚴、顏之學」)

(「由是顏家有泠、任之學」「故顏氏復有筦、冥之學」)

穀梁

魯申公—瑕丘江公—子—
- —孫（博士）——胡常—梁蕭秉君房—汝南尹更始翁君—
  - —尹咸
  - —翟方進
  - —琅邪房鳳
- —魯榮廣王孫—
  - —沛蔡千秋少君
  - —梁周慶幼君（博士）
  - —丁姓子孫（博士）——楚申章昌曼君（博士）
- —皓星公—蔡千秋……劉向

（「由是穀梁春秋有尹、胡、申章…房氏之學」）

（按瑕丘江公與董仲舒同年輩，則榮廣、皓星公當與仲舒弟子嬴公等同年輩，而為江公之子的弟子。又劉向受穀梁，雖斷言出於蔡千秋，王賓亦未明言其所出）

左氏傳

張蒼
賈誼—趙貫公（河間博士）—貫長卿—清河張禹長子
- 尹更始—
  - —尹咸＼劉歆
  - —翟方進／
  - —胡常—黎陽賈護季君—蒼梧陳欽子佚—王莽

（「由是言左氏傳者本之賈護、劉歆」）

（按傳文及年歲的比定，尹更始應與張禹長子為同門而非其弟子）

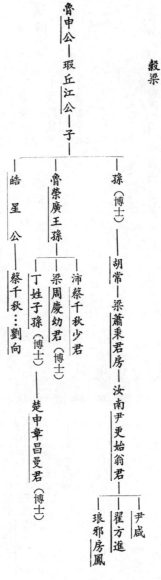

儒林傳：胡毋生（按「生」係「先生」之省稱）字子都，齊人也。治公羊春秋，爲景帝博士，與董仲舒同業，仲舒著書稱其德（按史記儒林列傳無此語，今亦無可考見）。年老歸教於齊，齊之言春秋者宗事之（按史記儒林列傳「齊之言春秋者多受胡毋生」），公孫弘亦頗受焉。而董生爲江都相，自有傳（此處刪去史記儒林列傳「故漢興至於五世之間，唯董仲舒名為明於春秋」一語，且上下文之線索因刪節而沒有史記明顯）。弟子之（史記無「之」字是）遂者，蘭陵褚大，東平嬴公（按史記無，當係脫漏），廣川段仲，溫呂步舒。大至梁相，步舒丞相長史。唯嬴公守學不失師法，爲昭帝諫大夫。授東海孟卿，魯眭孟，孟爲符節令，坐說災異誅，自有傳。

嚴彭祖字公子，東海下邳人也。與顏安樂俱事眭孟。孟弟子百餘人，唯彭祖、安樂爲明，質問疑義，各持所見。孟曰：「春秋之意，在二子矣」。孟死，彭祖、安樂各顓門教授，由是公羊春秋有嚴、顏之學。彭祖爲宣帝博士，至河南、東郡太守，以高第入爲左馮翊，遷太子太傅，廉直不事權貴。或說曰：「天時不勝人事。君以不修小禮曲意，無貴人左右之助，經義雖高，不至宰相。願少自勉強。」彭祖曰：「凡通經術，固當修行先王之道，何可委曲從俗，苟求富貴乎！」彭祖竟以太傅官終。授琅邪王中，爲元帝少府，家世傳業。中授同郡公孫文，東門雲。雲爲荊州刺史，文東平太傅，徒衆尤盛。雲坐爲江賊拜，辱命，下獄誅。

顏安樂字公孫，魯國薛人，眭孟姊子也。家貧，爲學精力，官至齊郡太守丞。後爲仇家所殺。安樂授淮陽冷豐次君，淄川任公。公爲少府，豐淄川太守。由是顏家有冷、任之學。始貢禹事嬴公，成於眭孟，至御史大夫。疏廣事孟卿，至太子太傅，皆自有傳。廣授琅邪筦路，路爲御史中丞。禹授潁川堂谿惠，惠授泰山冥都，都爲丞相史。都與路又事顏安樂，故顏氏復有筦、冥之學。路授孫寶，爲大司農，自有傳。豐授馬宮、琅邪左咸。咸爲郡守九卿，徒衆尤盛，官(宮)至大司徒，自有傳。

瑕丘江公受穀梁春秋及詩於魯申公，傳子至孫爲博士。武帝時，江公與董仲舒並。仲舒通五經，能持論，善屬文。江公吶於口。上使與仲舒議，不如仲舒。而丞相公孫弘本爲公羊學。比輯其議，卒用董生，於是上因尊公羊家，詔太子受公羊春秋，由是公羊大興。太子既通，復私問穀梁而善之，其後浸微。唯魯榮廣王孫、皓星公二人受焉。廣盡能傳其詩、春秋，高材捷敏，與公羊大師眭孟等論，數困之，故好學者頗復受穀梁。沛蔡千秋少君，梁周慶幼君，丁姓子孫，皆從廣受。千秋又事皓星公，爲學最篤。宣帝卽位，聞衞太子好穀梁春秋，以問丞相韋賢，長信少府夏侯勝，及侍中樂陵侯史高，皆魯人也。言穀梁子本魯學，公羊氏乃齊學也。宜興穀梁。時千秋爲郎，召見，與公羊家並說，上善穀梁說，擢千秋爲諫大夫給事中。後有過，左遷平陵令。復求能爲穀梁者，莫及千秋。上愍其學且絕，乃以千秋爲郎中戶將，選郎十人從受。汝南尹更始翁君，本自事千秋，能說矣。會千秋病死，徵江公孫爲博士。劉向以故諫大夫通達待詔，受穀梁，欲令助之。江博士復死，乃徵周慶、丁姓，待詔保宮，（師古：「保宮，少府之屬宮」）使卒授十人。自元康中始講，至甘露元年，積十餘歲，皆明習。迺召五經名儒太子太傅蕭望之等，大議殿中，平公羊、穀梁同異，各以經處是非。時公羊博士嚴彭祖，侍郎申輓，伊推、宋顯；穀梁議郎尹更始，待詔劉向，周慶、丁姓並論。公羊家多不見從，願請內侍郎許廣。使者亦並內（納）穀梁家中郎王亥，各五人，議三十餘事。望之等十一人，各以經義對，多從穀梁，由是穀梁之學大盛。慶、姓皆爲博士。姓至中山太傅，授楚申章昌曼君，爲博士，至長沙太傅，徒衆尤盛。尹更始爲諫大夫，長樂戶將。又受左氏傳，取其變理合者以爲章句；傳子咸及翟方進，琅邪房鳳。咸至大司農，方進丞相，自有傳。

房鳳字子元，不其人也。以射策乙科爲太史掌故。太常擧方正，爲縣令都尉，失官。大司馬票騎將軍王根奏除補長史，薦鳳明經通達，擢爲光祿大夫，遷五官中郎將。時光祿勳王龔，以外屬內卿，與奉車都尉劉歆共校書，三人皆侍中。歆白左氏春秋可立，哀帝納之。以問諸儒，皆不對。歆於是數見丞相孔光，爲言左氏傳以求助，光卒不肯，唯房、龔許歆，遂共移書責讓太常博士，語在歆傳。大司空師丹奏歆非毀先帝所立，上於是出龔等補吏，龔爲弘農，歆河內，鳳九江太守，至青州牧。始江博士授胡常，常授梁蕭秉君房，王莽時爲講學大夫。由是穀梁春秋，有尹、胡、申章、房氏之學。

漢興，北平侯張蒼，及梁太傅賈誼，京兆尹張敞、太中大夫劉公子，皆修春秋左氏傳。誼爲左氏傳訓故，授趙人貫公，爲河間獻王博士；子長卿，爲蕩陰令，授清河張禹長子。禹與蕭望之，同時爲御史，數爲望之言左氏，望之善之，上書數以稱說。後望之爲太子太傅，薦禹於宣帝，徵禹待詔，未及問，會疾死。授尹更始，更始傳子咸、及翟方進、胡常；常授黎陽賈護季君，哀帝時待詔爲郎；授蒼梧陳欽子佚，以左氏授王莽，至將軍。而劉歆從尹咸及翟方進受。由是言左氏者本之賈護、劉歆。

藝文志：

春秋古經十二篇　按十二篇者，春秋十二公，公各為篇也。

經十一卷　原注：「公羊、穀梁二家」　公羊閔公二年傳下「繫閔公篇於莊公下」，故十一卷。

左氏傳三十卷　原注：「左丘明，魯太史」

公羊傳十一卷　原注：「公羊子齊人。」師古：「名高」。
穀梁傳十一卷　原注：「穀梁子魯人。」師古：「名喜」。補注引周壽昌曰「桓譚新論魯穀梁赤為春秋，殘缺多所遺失。是穀梁名赤」
鄒氏傳十一卷
夾氏傳十一卷　原注「有錄無書」
左氏微二篇
鐸氏微三篇　原注「楚太傅鐸椒也」
張氏微十篇
虞氏微傳二篇　原注「趙相虞卿」
公羊外傳五十篇
穀梁外傳二十篇
公羊章句三十八篇
穀梁章句三十三篇
公羊雜記八十三篇

公羊顏氏記十一篇

公羊董仲舒治獄十六篇

奏議三十九篇　原注：「石渠論」

國語二十一篇　原注「左丘明著」

新國語五十四篇　原注「劉向分國語」。

世本十五篇　原注「古史官記黃帝以來訖春秋時諸侯大夫」

戰國策三十三篇　原注：「記春秋後」。

奏事二十篇　原注：「秦時大臣奏事及刻石名山文也」。

楚漢春秋九篇　原注：「陸賈所記」。

太史公百三十篇　原注：「十篇有錄無書」

馮商所續太史公七篇　韋昭曰「馮商受詔續太史公十餘篇，在班彪別錄。商字子高」。

太古以來年紀二篇

漢著記百九十卷　師古：「若今之起居注」

漢大年紀五篇

凡春秋二十三家，九百四十八篇

古之王者，世有史官。君舉必書，所以愼言行，昭法式也。左史記言，右史記事；事爲春秋，言爲尚書，帝王靡不同之。周室旣微，載籍殘缺。仲尼思存前聖之業，乃稱曰：「夏禮吾能言之，杞不足徵也。殷禮吾能言之，宋不足徵也。文獻不足故也。足，則吾能徵之矣。」以魯周公之國，禮文備物，史官有法，故與左丘明觀其史記，據行事，仍人道。因興以立功，就敗成以罰，假日月以定曆數，藉朝聘以正禮樂。有所襃諱貶損，不可書見，口授弟子。弟子退而異言。丘明恐弟子各安其意，以失其眞，故論本事而作傳，明夫子不以空言說經也。春秋所貶損大人當世君臣，有威權勢力，其事實皆形於傳，是以隱其書而不宣，所以免時難也。及末世口說流行，故有公羊、穀梁、鄒、夾之傳。四家之中，公羊、穀梁立於學官。鄒氏無師，夾氏未有書。

1. 漢代公羊傳的傳承統緒出於董仲舒而非胡毋

按有關公羊傳授問題，漢書儒林傳除接史記儒林列傳的後事，並將董仲舒另立專傳以外，史記以董仲舒列公羊傳授之首，而漢書則以胡毋生居首。在文字的口氣上，胡毋生在傳承中所佔地位，較史記所述的口氣重要。並且因文字的刪節不甚妥當，至使傳承的關係，近於混淆，引起後人一連貫的誤解，甚至以董仲舒與嬴公、呂步舒等，並列爲胡毋生的弟子。董氏與胡毋生爲同僚同輩，兩傳都敍述得很清楚。因董仲舒傳可確證呂步舒爲董仲舒的及門弟子；因眭孟傳可確證眭孟爲董仲舒的再傳弟子，因而也可間接證明嬴公是董氏的及門弟子；他們四個人是一組的，也可由此推斷其餘兩人也是董氏的弟子，由此而能斷定兩漢公羊之學，乃出於董仲舒而非出於胡毋生，可破千載的迷霧。徐彥公羊疏，在何休解詁自序「往者略依胡毋生條例，多得其正」下，解云，「胡毋生本雖以公羊經傳傳授董氏，猶自別作條例，故何取之以通公羊也」。按何休之說之誣，後面再討論。徐彥從而誣附董爲胡之弟子，其違反歷史事實更爲明顯（注九四）。

2. 戴宏傳承說之妄

其次，徐彥疏引「戴宏序云，子夏傳與公羊高，高傳與其子平，平傳與其子地，地傳與其子敢，敢傳與其子壽。至漢景帝時，壽乃共弟子齊人胡毋子都，著於竹帛，與董仲舒俱見於圖讖是也」。這是說公羊傳在公羊壽以前，都是一線單傳的口傳，到了公羊壽才與他的弟子胡毋子都，寫在竹帛上。此說由何休而至清今文學家，大大矜誇口傳的意義，謂今文多是口傳，所以遠在古文之上。卻不知此乃荒誕不經的說法。第一，據孔子世家、由孔子至孔安國凡十三代；公羊壽較孔安國應當早一代，但由子夏到公羊壽只五代，這在情理上說得通嗎？傳中引有樂正子春「視疾」的情形。樂正子春是曾子的學生，曾子較子夏小四歲。公羊若是子夏的學生，他能引及曾子的學生的故事嗎？胡毋生若有一位傳授的嫡系老師公羊壽，其年輩約略與申公、轅固相等，而史記、漢書兩儒林傳豈有知而不言及之理？若為兩傳所不知，則東漢的戴宏，何由知之？第二、現公羊傳中，有「子沈子曰」者二，「魯子曰」者六，「子司馬子曰」者一，「子北宮子曰」者一，「子女子曰」者一，「高子曰」者一，「子公羊子曰」者二。七人的解釋，都是補充解釋的性質，都是在傳承中所追加上去的，例如：「宣公五年「冬，齊高固及子叔姬來」，傳「何言乎高固之來？言叔姬之來，不言高固之來則不可（按此為傳之斷語）。子公羊子曰，其諸為其雙雙而俱至者與？」這便反映出三種情形：㈠現在可以看到的公羊傳，係由兩部份所組成。一為直接解經之傳，方便稱之為「原傳」；此可能出於孔子的及門弟子，或再傳弟子之手，而斷乎不出於公羊高之手，否則不會另出現兩個「子公羊子曰」。㈡對原傳作補充解釋的有七人之多，這便打破了一線單傳的妄說。而且時間上必較原傳為後，最早也是孔子再傳以後的弟子。㈢把原傳及七人對原傳的補充解釋，編輯在一起，乃另有其人，而決非出於公羊高本人。否則不會與其他六人併稱為「子公羊子曰」。所以此傳之稱為「公羊傳」，乃名實不符的出於為現在所無法明瞭的偶然因素。第三、伏生故為秦博士，當他所藏的書亡失數十篇，獨得二十九篇時，他只好傳二十九篇，無法憑記憶口傳其餘的任何一篇。尚書連同亡失者合計應不出四萬字。春秋經有一萬六千五百七十二字，公羊傳二萬七千五百八十二字，合計四萬四千一百五十五字，而謂公羊一家，僅憑記憶可口傳兩百餘年之久，可以說是神話。五千餘字而又有韻的老子，尚早已著之竹帛。孔子死後四、五十年間，局勢大變，向之犯忌諱的已不復成爲忌諱，爲什麼不早著之竹帛。且荀子引春秋中有出於公羊的（注九五），荀子及其門人，不在口傳之列，何由得而知之？何由得而引之（注九六）？韓非子中，遍引了三傳，韓非豈在口傳之列。戴宏亦知其說之無根，故據圖讖以資彌補。而其說的來源，可能卽出於讖緯。西漢之末，博士日趨鄙陋，董氏通五經，規模宏濶，爲博士們所畏憚，改造此謠以自文飾，且以與「古學」之「古」相抵抗。同時，何休作公羊解詁，受了董仲舒的重大影響而不提董仲舒隻字，卻提出胡毋生的「公羊條例」，此不僅在兩儒林傳及漢書藝文志與何休以前有關的文獻中，找不到踪影，且不以故訓、章句、傳說言著作，而以條例言著作，乃出現於西漢末期，非漢初所能有。清代今文家，好於無文字處立說，或卽導源於何休。

3. 穀梁傳及其立官的曲折

儒林傳中相當詳細地敍述了穀梁立官的經過。皇帝要爲穀梁立官，並事先得到宰相們的同意，尚且費了這樣大的準備工作（「積十餘歲，皆明習」），開了古無前例的大規模的殿中學術討論會——石渠會，留下了這樣多的討論紀錄——藝文志的書中有議奏四十二篇，禮中有議奏三十八篇，春秋中有議奏三十九篇，論語中有議奏十八篇，孝經中有五經雜議十八篇，可惜這些紀錄，沒有保存下來。討論時兩方各四人；公羊家在第一陣中因「多不見從」，又請求增加侍郎許廣，由四人變爲五人；使者也由穀梁家中加中郎王亥，也由四人變爲五人；使保持形式上的平等。而衡斷的不是皇帝自己，是大儒蕭望之等十一人，「各以經誼對」，使保持形式上的客觀。在兩千年前，世界任何民族，不曾出現過這樣學術上的盛事。若說在古代專制中曾露出學術民主的端倪，這未嘗不可以算是一個例證。儒林傳中把參加過此一會議的，除公羊、穀梁兩方外，其他各經也都紀錄了出來，計易有施讎、梁丘臨；書有歐陽地餘，林尊、周堪、張山拊、假倉；詩有韋玄成、張長安、許廣德；禮有戴聖、聞人通漢；以此作其學術地位的表徵，視爲歷史中的一件大事。此可反映出：㈠五經博士成立後，由他們所主教的經典，確實構成了學術權威的地位，雖皇帝也輕易奈何不得。所以後來哀帝已承認爲左氏立官，卒以博士們的消極抵抗而作罷。㈡另一方面，學者自身得到政治上的保障地位，而特殊化以後，同樣會流於錮蔽自私，妨礙學術的自由發展。穀梁原已開始殘缺；倘非經宣帝的大力支持，使其能與公羊並立，很可能與鄒氏、夾氏同一命運。但到了東漢初葉與京氏易同樣遭到博士們排出的命運。

穀梁傳的成立情形，我在原史一文中曾附帶討論到，玆簡錄如下：

穀梁傳成立的時間，我推測是在戰國中期以後。隱五年「初獻六羽」下，分引「穀梁子曰」及「尸子曰」，而兩人之意見並不相同；則此傳非成立於穀梁之手，與其非成立於尸子之手，道理是相同的。被稱爲穀梁傳，也和被稱爲公羊傳，同樣的不符合事實……作此傳的人，對春秋的史實，較之公羊傳更爲疏隔。但他的態度則非常謹愼。所以全傳中有「或曰」者十三，「或說」者一，「其一曰」者一，「其一傳曰」者一。此卽對一事的兩種說法，不能斷定，乃都加以保留，聽任後之讀者的自由判斷。其中有一事列兩「或曰」的，則表明一事而有三種說法。引有八「傳曰」，與公羊同者二，與公羊有關者二，與公羊之關係不明者一，有引「傳曰」爲公羊所無，而解釋與公羊同者一。有穀梁引「傳曰」而公羊無傳者一。有與公羊不同者一。又定元年經「戊辰，公卽位。癸亥，公之喪至自乾侯」。穀梁「……沈子曰，正棺乎兩楹之間，然後卽位也」……公羊「則曷爲以戊辰之日然後卽位，正棺於兩楹之間，然後卽位。子沈子曰，定君乎國，然後卽位」。由此可知穀梁傳作者，誤以公羊傳原傳之文爲沈子之言。從這些情形看，穀梁傳很可能採用了公羊傳。但公羊傳以外，尙採用了他傳……其未引「傳曰」者，卽可證明其實另有傳承，自成一家。（注九七）

參加石渠討論的議郎尹更始，擢升諫大夫，長樂戶將；他又受左氏傳，「取其變理合者（變通而合於穀梁之理者）以爲章句（爲穀梁傳之章句）」，這便在左氏、穀梁兩傳間，架設了橋梁。所以此後左氏、穀梁兩家較爲接近，乃由此而來。毛詩因與左氏傳同受壓抑，所以在東漢，兩家也較爲親近，於是左氏、穀梁、毛詩、再加上古文尚書，成爲東漢「古學」的骨幹。這都與文字上的今文古文之分無關。穀梁、毛詩皆今文，左氏傳有今文，有古文。尹更始的弟子穀梁家房鳳，與王龔同支持劉歆爲左氏立官的主張，三人共移書讓太常博士，這不僅因三人「共校書」「皆侍中」的形跡親近，與尹更始的溝通兩家之學也有關係。

4. 左氏傳及其傳承中的問題

史記儒林列傳，未提到左氏傳；但史公在十二諸侯年表序中，對左氏傳的成立及其影響，有較詳的敍述，這是我們了解左氏傳的鎖鑰。十二諸侯年表序說：

「…是以孔子明王道，干七十餘君，莫能用。故西觀周室，論史記舊聞（注九九），與於魯而次春秋。上記隱，下至哀之獲麟。約其辭文，去其繁重，以制義法。王道備，人事浹。七十子之徒，口受其傳指；爲有所刺譏褒諱挹損之文辭，不可以書見也。魯君子左丘明懼弟子人人異端，各安其意，失其眞，故因孔子史記，具論其語，成左氏春秋。鐸椒爲楚威王傅，爲王不能盡觀春秋，采取成敗，卒四十章，爲鐸氏微。趙孝成王時，其相虞卿，上采春秋，下觀近勢，亦著八篇，爲虞氏春秋。呂不韋者，秦莊襄王相，亦上觀上古，删拾春秋，集六國時事，以爲八覽、六論、十二紀，爲呂氏春秋。及如荀卿、孟子、公孫固、韓非之徒，各往往捃摭春秋之文以著書，不可勝紀……」。

司馬遷雖從董仲舒學公羊春秋，但在他心目中，左氏春秋，才是孔子春秋的可以信賴的嫡傳。同時不論公羊、穀梁，皆係少數人的價値判斷，而左氏傳則係網羅二百四十二年的歷史文化的總和，沒有它，司馬遷便不能寫周代各國的世家及十二諸侯年表。御覽六百十引桓譚新論：「左氏傳之與經，猶衣之表裏，相待而成。有經而無傳，使聖人閉門思之十年，不能知也」。這是非常客觀的說法。也正因爲如此，便更爲公羊家所忌，非抵死排斥不可。關於左氏傳的意義及由漢博士與清今文家所加的糾葛，我在原史一文中，已作了較詳細的討論（注九九），此處從略。

因左氏傳自戰國中期後流行甚廣，傳習者多，所以漢書儒林傳對漢初張蒼、賈誼、張敞、劉公子等「皆修春秋左氏傳」，而未著其所受，且四人間更沒有傳承關係。儒林傳中，凡不了解師承關係的，卽不加敍述，如轅固、韓嬰、胡毋生、董仲舒等，不一而足。乃經典釋文序錄謂：「左丘明作傳以授曾申，中傳衞人吳起，起傳其子期，期傳楚人鐸椒，椒傳趙人虞卿，卿傳同郡荀卿名況，況傳武威張蒼，蒼傳洛陽賈誼，誼傳至其孫嘉，嘉傳趙人貫公，貫公傳其少子長卿，長卿傳京兆尹張敞，及侍御史張禹」。自左丘明至荀卿授張蒼，本於劉向別錄（見左傳疏引）。劉向別錄，我已不止一次的證明有的地方已爲後人所亂，許多說法是不足取信的，這卽是一例。若別錄果有此一傳承統緒的材料可資徵信，則劉向對左氏傳應尊信有加。但他在說苑中引公羊、穀梁，皆稱爲春秋，引左氏則否，蓋他接受了五經博士們左氏不傳春秋之說，以致不斷被他的兒子劉歆所問難（注一〇〇）。且劉向若知此傳承統緒，則父子在一起校書近二十年之久，劉歆豈有不知之理。劉歆竭力爲左氏傳爭立官，又豈有對此一有利的材料，不加運用之理？班固受劉歆的影響最大，若劉歆有此材料，則他寫儒林傳時，一定會將其寫出。劉向別錄，東漢許多人有看到的機會，乃范升、陳元爲左氏傳發生過重大爭論，爲左氏傳爭地位的一方，對此有利材料，竟全未運用；而賈逵、服虔、杜預爲左氏傳作注的人，竟無一人提及，直到陸德明及爲左氏傳作疏者加以援引，其爲後人由十二諸侯年表序附會而成者甚明。至張蒼以下的傳承統緒，不知陸德明何所根據。我在賈誼思想的再發現一文中，已指出賈誼的習左氏，「無緣傳自張蒼」。（注一〇一）且漢書儒林傳明謂「誼爲左氏傳訓故，授趙人貫公，爲河間獻王博士」。乃序錄謂「誼傳至其孫嘉，嘉傳趙人貫公」，較儒林傳所言者晚了兩代，便無由與河間獻王之年相值。儒林傳僅言貫公傳其子長卿，長卿「授清河張禹長子」，而序錄在張禹之上，憑空添「長卿傳京兆尹張敞」一句，把班氏缺疑的敍述，憑空加一毫無根據的塡補，經學史之亂，率由此而來。

因賈誼作左氏傳訓故，所以左氏傳在西漢的傳承，皆自誼出。從而大之者是賈護、劉歆。藝文志對左氏傳的成立，主要取材於史記十二諸侯年表序。但「春秋所貶損大人，…當世君臣，有威權勢力，其事實皆形於傳（左氏傳），是以隱其書而不宣，所以免時難也」的一段話，與十二諸侯年表序中所述的情形不合，也與事實不合。劉歆的這一段話，可能是爲了左氏傳出現之初，傳承關係不明所作的解釋；實際這是徒滋誤解而沒有必要的解釋。

㈦ 論語的傳承

藝文志：

論語古二十一篇原注：「出孔子壁中，兩子張」。如淳曰「分堯曰篇後子張問『何如可以從政』以下為篇，名曰從政」。

齊二十二篇原注：「多問王，知道」。

魯二十篇，傳十九篇師古：「解釋論語意者」。補注引王應麟曰、「正義云，魯論者魯人所傳，卽今所行篇次是也」。

齊說二十九篇王先謙：「下云傳齊論者惟王吉（陽）名家。書傳云，王陽說論語，卽此齊說也」。

魯夏侯說二十一篇補注引錢大昭曰「夏侯勝傳，受詔撰論語說」。

魯安昌侯說二十一篇師古曰「張禹也」。

魯王駿說二十篇師古曰「王吉子」

燕傳說三卷

議奏十八篇原註：「石渠論」

孔子家語二十卷　師古曰：「非今所有家語」。

孔子三朝七篇補注引沈欽韓曰「今大戴記千乘第六十七、四代六十八，虞戴德六十九，誥志七十，小辨七十四，用兵七十五，少問七十六。別錄云，孔子三見哀公作三朝禮七篇，今在大戴記是也。」

孔子徒人圖法二卷

凡論語十二家二百二十九篇。

論語者，孔子應答弟子時人，及弟子相與言，而接聞於夫子之語也。當時弟子各有所記。夫子旣卒，門人相與輯而論篹，故謂之「論語」。漢興，有齊、魯之說。傳齊論者昌邑中尉王吉，少府宋畸，御史大夫貢禹，尚書令五鹿充宗，膠東庸生，唯王陽名家。（師古：「王吉字子陽，故謂之王陽」。）傳魯論語（語字衍文）者常山都尉龔奮，長信少府夏侯勝，丞相韋賢，魯扶卿，前將軍蕭望之，安昌侯張禹，皆名家。張氏最後，而行於世。

按論語及孝經，皆傳而非經，未立於學官，故儒林傳未記其傳授情形。然兩書在兩漢所發生之作用，或且超過五經，實質上，漢人卽視之爲經；故五經皆有緯，而論語、孝經亦有緯。緯對經而言，東漢遂有七經、七緯的名稱。劉歆七略，卽以論語、孝經入六藝略，漢志因之。漢代五經之儒，幾無不學禮，更無不學論語、孝經。吳承仕謂「蓋孝經、論語，漢人所通習。有受論語、孝經而不受一經者，無受一經而不先受孝經、論語者」，（注一〇二）吳說得之；然用一「先」字，遂使王國維以論語、孝經與五經，分爲學的兩階段（注一〇三）。一若漢之學制本來如此。按漢書卷八十一張禹傳「禹爲兒，數隨家至市，喜觀於卜相者前……卜者愛之，又奇其面貌，謂禹父(曰)，是兒多知，可令學經。及禹壯，至長安學，從沛郡施讎受易，琅邪王陽，膠東庸生問論語」；是禹未嘗先學論語而後學易。又同傳「初元中，立皇太子，而博士鄭寬中以尚書授太子。薦言禹善論語，詔令禹授太子論語」。「初禹爲師（爲太子之師），以上難數對己問經，爲論語章句獻之」。據此，是成帝爲太子時，先受經，次受論語；只因經文難記，故張禹爲論語章句獻之。

張禹在論語傳承中居於重要地位。漢書卷八十一張禹傳：「始魯扶卿（注一〇四）及夏侯勝、王陽（王吉）、蕭望之、韋玄成，皆說論語，篇第或異。禹先事王陽，後從庸生；采獲所安，最後出而尊貴。諸儒爲之語曰，欲爲論，念張文。由是學者多從張氏，餘家寖微」。沈欽韓以張禹從受論語之王陽、庸生皆授齊論，而藝文志逕繫張禹於魯論下，爲「傳志不相蒙」。按皇侃論語疏發題引別錄謂「晚有安昌侯張禹，就建（夏侯建）學魯論，兼講齊說，擇善而從」。又「何晏集季長（馬融）等七家（注一〇五）又採古論孔註，又自下己意，即今所重者。今日所講即是魯論，爲張侯所學，何晏所集者也。張侯參用三家，以魯爲本（注一〇六）。鄭玄更爲校注，至何晏采獲師說，爲之集解，正始中上之」。是張禹所學者本爲魯論，而參以齊說，特傳文有所遺漏。而今日所通行的，正是張禹以魯論爲主的參校本。

(八) 孝經的傳承

藝文志：

孝經古孔氏一篇原注：「二十二篇」。補注引王應麟「許沖上父說文云，古文孝經者，昭帝時魯國三老所獻，建武時給事中議郎衛宏所校。案志云孔氏壁中古文，則與尚書同出也。蓋始出於武帝時，至昭帝時始獻之」。按許沖之說，本於其父許愼。許愼今古文之說，多不可信。當據漢志。

孝經一篇原注：「十八章。長孫氏、江氏、后氏、翼氏四家」

長孫氏說二篇

江氏說一篇

翼氏說一篇

后氏說一篇

雜傳四篇

安昌侯說一篇

五經雜議十八篇原注：「石渠論」。

爾雅三卷二十篇張晏曰「爾近也，雅正也」

小爾雅一篇補注引沈欽韓曰「陳振孫云……今館閣書目云，孔鮒撰，蓋即孔叢第十一篇，當是好事者抄出別行。按班氏時，孔叢未著，已有小爾雅，亦孔氏壁中文，不當謂其從孔叢鈔出也」謹按：漢書刑法志兩引孔叢子，則班氏時此書已行世；但後人又有附益。

古今字一卷

弟子職一篇應劭曰：「管仲所作，在管子書。」按今為管子第五十九篇，蓋漢時單行。

說三篇

凡孝經十一家五十九篇

孝經者，孔子爲曾子陳孝道也（注一〇七）。夫孝、天之經，地之義，民之行也。擧大者言，故曰孝經。漢興，長孫氏、博士江翁、少府后蒼、諫大夫翼奉、安昌侯張禹傳之，各自名家，經文皆同，唯孔氏壁中古文爲異。「父母生之，續（一作績）莫大焉。」「故親生之膝下」。諸家說不安處，古文字讀皆異。（師古：「桓譚新論云，古孝經千八百七十一（二）字，今異者四百餘字」。）

我曾寫過「中國孝道的形成，演變及其歷史中的諸問題」一文。裏面「五，被專制壓歪以後的孝道——僞孝經的出現」，謂孝經係出於武帝末昭帝時代的僞造（注一〇八），我這種說法，完全是荒謬的；雖在「中國思想史論集」再版序中已經提到此一荒謬，我特再提一次，以誌我的莫大愧耻。不僅呂氏春秋察微篇分明引有「孝經曰」，並且由陸賈的新語起，孝經內容，已被西漢初年的君臣多次引用。由它「夫孝、天之經、地之義，人之行也」，係襲左氏傳「夫禮、天之經也、地之義也，人之行也」之文加以推測，這是在左氏傳流行以後，可能由曾子的再傳或三傳弟子所造出來，以應戰國時代，平民開始由有姓氏而有宗族，有宗族而需要有精神紐帶的要求所發展出來。西漢特別重視孝經，其背景有三。一爲同姓之諸侯王，代替異姓之諸侯王以後，要以孝增強諸侯王通過宗廟對朝廷的向心力。此點與周初的情形無異。二爲「事君不忠，非孝也」這類的觀念，對統治者非常有利。三爲希望政治安定，便不能不希望有一種和平安定的社會。由以孝爲家族精神紐帶所組成的社會，是和平安定的社會，並且是有利於農業生產的社會。「導民以孝則天下順」（注一〇九），這是當時的共同認識。漢書卷二惠帝紀四年「春正月，舉民孝弟力田者復其身」，這是正式樹立鼓勵孝弟力田的社會政策。卷三高后紀元年二月「初置孝弟力田，二千石者一人」，這是正式設立孝弟力田的官，二千石的官職，各推薦一人；使孝弟力田的社會政策，在官制中占一確定地位。

藝文志將爾雅、小爾雅與孝經並列。「爾雅」的意義，正如經典釋文序錄所說：「所以訓釋五經，辨章同異。實九流之通路，百氏之指南」。或者此可反映出漢代係以孝經爲五經的階梯，教育的基礎，與由管子中抽出弟子職一篇一樣，與爾雅、小爾雅及古今字，並爲治經者所必讀之書；雖未著之功令，但已成爲風氣。所以把它們列在一起。

(九) 環繞漢書儒林傳所反映出的若干情況

經學傳承的意義：

以五經的人文性格，及概括生活各方面的規模，朝廷爲它立博士作有計劃的傳承，雖歷經變亂，但依然沿襲到魏、晉，使大一統下的文化，環繞此一基線發展，約四百年之久。而民間的自由傳承，父子相繼，父、子、孫相繼的，固數見不鮮；「家世傳業」的，易有士孫張仲方，書有歐陽、陳翁生、詩有伏理，禮有徐良，橋仁，公羊有王中。這種情形，在人類文化史中，只有中國才出現過這種盛業盛事。從人類文化史的立場來衡量，這是非常值得寶貴的。雖然五經博士的流弊很大。

博士以外，爲經術所設的專官：

朝廷爲經術所設的專官，除博士外，尚有議郎與諫大夫。博士與議郎，皆秩比六百石；惟博士屬太常，議郎屬光祿勳。有的儒生直接任諫大夫，或太中大夫（皆秩比千石，也屬光祿勳）；有時則諫大夫，太中大夫，爲博士初步升遷之地。立五經博士後，儒生以某經爲博士，其博士卽負傳授某經之責；議郎、諫大夫雖以「明經」或明某一經而進，但在職務上無傳授某經的責任，除非經過特別的專派。博士、議郎、諫大夫、太中大夫，皆以較低的秩位，參與朝廷大政的議論，因爲他們是代表經術發言；這在今日，是政治層中，特別爲代表專門知識所成立的單位。再下一層的則爲文學、掌故。也有以經學而選爲光祿勳中的中郎（比六百石）侍郎（比四百石）郎中（比三百石）的，但這些都不是爲經術所設的專職，品流複雜；所以也沒有博士們地位的清貴。

經學立官的問題：

建立五經博士時，何者立官，何者不立官，是經過朝廷一番權衡考慮後所決定的。此觀於董仲舒與瑕丘江公對公羊、穀梁的爭論，經公孫弘的抑揚等情形而可明瞭。此後立官不立官，博士的權力相當大。如欲爲某經新立一家，如春秋中的穀梁、左氏，則雖皇帝亦不能擅斷。穀梁雖勉強得立，終爲博士系統所排斥，故東漢十四博士中遂無穀梁。但若在已立官之某家內增設某派，則皇帝可以擅斷；如宣帝時尙書增設大小夏侯，禮增設大小戴之類。而左氏傳，毛詩、逸禮、古文尙書等，終爲博士所扼，僅得立於平帝王莽大事變革之際，但仍不久旋廢。

博士人數：

在立五經博士以前的博士人數，固然彈性很大。即立五經博士以後，也並非限於已立官的一經一派一人。申公的「弟子爲博士十餘人」，雖不一定都是同時的，但也斷非都是依次遞補的。石渠辨論，穀梁方面，以議郎參加的尹更始升爲諫大夫，而以待詔參加的周慶、丁姓兩人「皆爲博士」，也是一例。

教學情形：

設博士弟子員後，博士有教學的責任，有由選拔而來的固定學生，這是「官式教學」，也可以說，這是二千年前中國最早所設的「國立大學」的教學。但博士們私人教學的徒衆，常多於官式教學，影響力也大於官式教學。易田王孫的三大弟子施、孟、梁丘，並非出於他爲博士時的博士弟子。其他各經的情形，也大都是如此。尤其是漢初爲經學開山之儒，如田何、伏生、申公、轅固，胡毋等，皆以「居家」教授，教化行於郡國，奠定漢代經學在時代中發生鉅大作用的社會基礎。自此以後，博士以外的儒生，有了名望，則不論已入仕，未入仕，都有許多由私人教學而來的徒衆。這才是漢代文化廣被於社會，爲中華民族造型的力量。這才是孔子以來的大統。通過歷史看，中華民族的生命，常斲喪於政治，而培育於文化。文化的生命，易扭曲於朝廷，而植根於社會。先有漢初私人講學之功，才有立五經博士之舉。而五經博士建立以後，盛於宣、元時代，但也因此日趨固陋偏狹，仍賴社會的學術勢力加以夾持補救；最後逼出東漢的「古學」。「古學」的性格，不是「古文之學」的簡稱，而是反博士壟斷的旗印。此種文化學術演進之跡，是永遠值得大家思考的。乾嘉的漢學家，把問題扭曲到相反的方向。

儒林傳中反映五經博士建立以後，私人講學之盛的，書有鮑宣，吳章，炔卿；魯詩有瑕丘江公；齊詩有張邯、皮容；韓詩有張就、髮福；公羊有公孫文，左咸；穀梁有申章昌曼君；班氏都用「徒衆尤盛」四字加以形容。

除博士的朝廷官式講學以外，還有地方的官式講學；卽是郡國所立的學官。這在我國教育史上也佔有重要地位。漢書八十九文翁傳：文翁「景帝末爲蜀郡守……蜀地僻陋，有蠻夷風，文翁欲誘進之。乃選郡縣小吏……十餘人……遣詣京師，受業博士……數歲……皆成就還歸，文翁以爲右職……又修起學官（館）於成都市中，招下縣子弟以爲學官弟子……至武帝時，乃令天下郡國，皆立學校官，自文翁爲之始云」。漢書七十六韓延壽傳：「延壽於是令文學校（學）官諸生，皮弁執俎豆，爲吏民行喪嫁娶禮」。「延壽爲吏，上禮義，好古敎化，所至……修治學官」。又卷八十六何武傳：「武爲刺史……行部必先卽學官（猶今之所謂「學校」）見諸生，試其誦讀」。這正是地方立學的證明。而主其敎導的則爲郡文學。漢書七十六王尊傳：「師事郡文學官，治尚書、論語，略通大義」；是他們所敎的與朝廷的博士無異。地方學制，王莽曾有所發展。漢書十二平帝紀：「元始三年夏，安漢公（王莽）奏……立官稷及學官；郡國曰學，縣、道、邑、侯國曰校。校、學置經師一人。鄉曰庠，聚曰序，序、庠置孝經師一人」。不難進一步推測，還有許多以敎藝文志所列「小學」這一類的塾師，如王充自序中所反映出來的。

範專經問題：

清乾嘉學派特強調漢儒專經之學，或稱「專門名家」。由此可能引起誤解。各人治學的圍，有廣有狹；治學的次序，有先有後，有主有從。可以由若干經而歸結於一經；也可由一經而推及其他各經。一個人，可由主習之一經而成名；若成名爲五經博士，即專代表他主習的一經；但並非說此人只習一經。儒林傳載谷永說鄭寬中「嚴然總五經之眇論」，但他是以小夏侯尚書爲博士。胡常受古文尚書於庸生，又傳左氏；但他以穀梁爲博士。后倉通五經，「說禮數萬言」；但他以齊詩爲博士。教授的情形也是一樣。申公以詩與春秋（穀梁）教，並不是說他只習詩與春秋。漢書卷七十五夏侯始昌傳，始昌「通五經，以齊詩、尚書教授。卷七十二王吉傳：「初，吉兼通五經，能爲騶氏春秋，以詩、論語教授。」其他諸人，雖未必能通五經，但斷無僅習一經而可成爲學問之理。洪亮吉通經表中列有由通二經至十一經者若干人，猶爲拘滯。我們若就漢儒的奏議加以考查，立可發現專治一經之說之妄。不可因史、漢的缺文，陷入這種妄說。

清末民初，又出現經學有齊、魯兩派之說（注一一〇），全是妄生枝節。韋賢們答宣帝之問，「言穀梁

齊學、魯學的問題：

本魯學，公羊氏乃齊學也；宜興穀梁」。這是齊、魯分派的來源。他們這樣答覆的動機有二：一是揣摸宣帝本欲立穀梁的心理，二是他們「皆魯人也」，出於鄉土觀念。絲毫沒有涉及思想內容，無關於學術異同之辨。公羊、穀梁的內容，本是有出入的，但這種出入，決非來自作者不同的地域。在同一地域，甚至在同一師門中，亦可發生很大的出入。所以石渠的大辯論涉及整個五經及論語、孝經，何嘗有齊、魯分疆的痕跡。若以經學之根源言，則遠肇於周公而集結於孔門，殆皆可謂出於魯。若以公、穀兩傳之作者而言，則已如前述，兩傳決非僅出於公羊、穀梁兩人之手；且兩人在傳中亦非居於重要地位；而參與公羊傳的，決不可皆謂爲齊人；參與穀梁傳的，亦決不可皆謂爲魯人。公羊傳中之有齊方言，無關於事實與大義；公羊傳中無陰陽觀念而穀梁傳中有之，乃來自它成立的時代較公羊爲後。穀梁傳中採用了公羊傳，未嘗以其是齊人爲嫌忌。若以漢初的傳承而言，則傳穀梁的申公，固爲魯人；而傳公羊的董仲舒則爲趙人。以後的傳授，和其他各經一樣，只受人事機緣的影響，並未受到地域的影響。詩有齊、魯、韓三家，不能分爲齊、魯兩派。且申公受於浮丘伯，而浮丘伯爲齊人。論語有齊、魯、古文三種，其文字篇章之異，已由張禹以魯論爲主，加以整理劃一，亦無由再分。齊、魯因開國精神的不同，而齊又出一管仲，在思想性格上應與魯有所差異。但這依然要追到人的因素上去。齊、魯壤地相接；若齊、魯可以地域劃分學派，準此以推，其糾結紛擾，將至無法清理的程度。

十　由古文到古學——劉歆讓太常博士書

因五經博士們對經學的壟斷而又低能，激出了劉歆們的讓太常博士書，對博士作了總的批評與暴露，並由此書而發展出東漢經學中與博士相抗的古學，這在經學史上是一個轉折點，是一件大事。古學雖由古文孳演而出，但古學已突出了古文的範圍。

如前所述，古文今文的不同，有如後世板本的不同，在學術上僅是校勘、訓詁上的問題，不足以構成學術上的重大爭論。所以劉歆對今文尙書的批評只有兩點，一是「殘缺」，二是「脫簡」，「間編」。博士們對此不敢作正面答覆，而只是「以尙書爲備，謂左氏不傳春秋」，把問題加以橫蠻地抹煞。其所以構成爭論，乃來自博士們對自己所受所傳以外的，一概加以排斥，並不僅是以今文排斥古文；對他們傳承以外的今文也同樣排斥。但博士們並不曾以所排斥的爲僞。淸今文學家，則於五經博士所不敢斥爲僞的，則一槪斥其爲僞；奇談怪論，層出不窮。今欲加以淸理，只能回到劉歆、房鳳、王龔三人所共同負責的讓太常博士書上面。此書不僅揭露了今古文之爭的本來面目，且也是對五經博士作了一個總的批評。此書的權威性是由三點構成的。㈠是劉歆的父親劉向，博極羣書；世傳魯詩，又通韓詩；這都是今文。既習穀梁，又通公羊（注一一二），也都是今文。所以劉歆並不曾反對今文。㈡是劉歆與王龔們共同校書，可以同樣看到中秘古文；而房鳳習穀梁，穀梁是今文。他們的見聞較五經博士們爲廣，態度較五經博士們爲客觀。㈢是他們這封信，是寫給在經學上有權威地位而又有強大的政治背景的五經博士，對他們提出了揭露性的批評，冒著很大的危險決不敢講假話，以致授人以柄。所以師丹也只能以「非毀先帝之所立」的政治理由來反擊。因此，這封信在西漢經學史上有非常重要的地位。清今文學家全力攻擊劉歆，因爲「底案」在劉歆手上。所以鈔錄在下面，漢書三十六劉歆傳：

「及歆校祕書，見古文春秋左氏傳，歆大好之。時丞相史尹咸，以能治左氏與歆共校經傳，歆略從咸及丞相翟方進受，質問大義。初，左氏傳多古字古言，（按此指當時外間流行之本）學者傳訓故而已。及歆治左氏，引傳文以解經，轉相發明，由是章句義理備焉。歆亦湛靖有謀，父子俱好古，博見彊志，過絕於人。歆以爲左丘明好惡與聖人同，親見夫子；而公羊、穀梁在七十子後，傳聞之與親見之，其詳略不同。歆數以難向，向不能非間也。然猶自持其穀梁義。及歆親近，欲建立左氏春秋及毛詩、逸禮、古文尚書，皆列於學官。哀帝令歆與五經博士講論其義，諸博士或不肯置對。歆因移書太常博士，責讓之曰：『……及夫子沒而微言絕，七十子終而大義乖……陵夷至於暴秦，燔經書，殺儒士，設挾書之法、行是古之罪，道術由是遂滅。漢興，去聖帝明王遐遠，仲尼之道又絕，法度無所因襲；時獨有一叔孫通略定禮儀。天下唯有易卜，未有他書。至孝惠之世，乃除挾書之律。然公卿大臣絳（周勃）、灌（灌嬰）之屬，咸介冑武夫，莫以爲意。至孝文皇帝，始使掌故朝錯，從伏生受尚書。尚書初出於屋壁，朽折散絕。今其書見在，時師傳讀而已。詩始萌芽，天下衆書往往頗出，皆諸子傳說，猶廣立於學官，爲置博士。在漢（文選無「漢」字）朝之儒，唯賈生而已。至孝武皇帝，然後鄒、魯、梁、趙頗有詩、禮、春秋先師，皆起於建元之間。當此之時，一人不能獨盡其經，或爲雅，或爲頌，相合而成。泰誓後得，博士集而讀之。故詔書稱曰：「禮壞樂崩，書缺簡脫，朕甚閔焉。」時漢興已七八十年，離於全經，固已遠矣。及魯恭王壞孔子宅，欲以爲宮，而得古文於壞壁之中，逸禮有三十九篇，書十六篇。天漢之後，孔安國（漢紀「國」字下多一「家」字）獻之，遭巫蠱倉卒之難，未及施行。及春秋左氏丘明所修，皆古文舊書，多者二十餘通，藏於秘府，伏而未發。孝成皇帝閔學殘文缺，稍離其眞，乃陳發秘藏，校理舊文，得此三事。以考學官所傳，經或脫簡，傳或間編。傳問民間，則有魯國柏（桓）公，趙國貫公，膠東庸生之遺學與此同，抑而未發，此乃有識者之所惜閔，士君子之所嗟痛也。往者綴學之士不思廢絕之闕，苟因陋就寡，分文析字，煩言碎辭，學者罷老且不能究其一藝。信口說而背傳記，是末師而非往古。至於國家將有大事，若立辟雍封禪巡狩之儀，則幽冥而莫知其原。猶欲保殘守缺，挾恐見破之私意，而無從善服義之公心。或懷妬嫉，不考情實，雷同相從，隨聲是非，抑此三學；以尚書爲備，謂左氏爲不傳春秋，豈不哀哉。今聖上德通神明，繼統揚業，亦閔文學錯亂，學士若玆，雖昭其情，猶依違謙讓，樂與士君子同之，故下明詔，試左氏可立不？遣近臣奉指銜命，將以輔弱扶微，與二三君子比意同力，冀得（興起）廢遺。今則不然。深閉固拒而不肯試，猥以不誦絕之，欲以杜塞餘道，絕滅微學。夫可與樂成，難與慮始，此乃衆庶之所爲耳，非所望士君子也。且此數家之事，皆先帝所親論，今上所考視。其古文舊書，皆有徵驗，外內相應，豈苟而已哉。夫禮失求之於野，古文不猶愈於野乎。往者博士，書有歐陽，春秋公羊，易則施、孟。然孝宣皇帝猶復廣立穀梁春秋，梁丘易，大小夏侯尚書，義雖相反，猶並置之。何則？與其過而廢之也，寧過而立之。傳曰：「文武之道未墜於地，在人。賢者志其大者，不賢者志其小者。」今此數家之言所以兼包大小之義，豈可偏絕哉。若必專己守殘，黨同門，妬道眞，違明詔，失聖意，以陷於文吏之議，甚爲二三君子不取也』。其言甚切，諸儒皆怨恨。是時名儒光祿大夫龔勝，以歆移書，上疏深自罪責，願乞骸骨罷。及儒者師丹爲大司空，亦大怒，奏歆改亂舊章，非毀先帝所立。上曰：「歆意欲廣道術，亦何以爲非毀哉？」歆由是忤執政大臣，爲衆儒所訕，懼誅，求出補吏，爲河內太守。以宗室不宜典三河，徙守五原，後復轉在涿郡，歷三郡守，數年，以病免官」。

按移書，漢初所傳的春秋左氏傳並非出於孔壁，特在秘府中又發現了古文本。又由「傳問民間」數語，及「內外相應」之語考之，則春秋左氏傳固早已流佈民間；卽古文尚書中，由孔安國以今文讀之的二十九篇亦已流佈民間。春秋左氏傳之流佈，由漢初至歆移書時已有約二百年之久，其必爲今文無疑。古文尚書「孔安國以今文讀之」，亦必以今文寫之。其所以繼續稱爲「古文尚書」乃說它是由古文而來的尚書，以與伏生的二十九篇相別。其與伏生今文尚書不同者，乃個別文字之異。至於較伏生所傳今文多出的十六篇，因未以今文寫出流傳，僅在秘府可以看到，所以劉歆移書中僅稱書十六篇，這才只有古文。「禮古經五十六卷」中，有儀禮十七篇已在外流行。所以移書只稱逸禮三十九篇，這也只有古文。由此可以了解，在民間流佈的春秋左氏傳及古文尚書，皆今文；特因劉歆們校書而在秘府中發現了古文春秋左氏傳，有如後人對某書發現了古寫本或宋版樣，更增加了此書的聲價。對尚書則發現了較流行的古今文尚書外，更多出了十六篇。禮古經較流行的今文儀禮多出逸禮三十九篇。博士們若僅因其爲古文而反對立官，則對有今文本的左氏傳及以今文寫定的古文尚書二十九篇，便沒有反對的理由。所以這一公案，不是用今文古文之爭所能概括，所能說明的。

移書對設立五經博士後，博士們由政治給與特別地位因而在學術上所發生的反作用，作了總地批評。可分爲四點：㈠是博士們章句之業，只是「分文析字，煩言碎辭」，這是他們「因陋就寡」，在自我封閉的小圈子裏而又不能不有所表現的必然結果。「學者罷老不能究其一藝」，他們的章句，成了學術前進的重大障礙。㈡是博士們的治學方法，「信口說而背傳記，是末師而非往古」。「口說」是指師對弟子的口頭講授，「末師」是指及身承受的講授之師。只相信末師的口頭講授，而不去閱讀講授以外典籍；只是以自己的師爲是，而不向上去追究根源，於是博士們的「師法」，成爲手工業中的學徒制度，從廣濶的學術天地完全隔開了。這對學術而言，不是向前開拓而是向後萎縮。㈢是博士們澈底自私的心態是「猶欲保殘守缺，挾恐見破之私意，而無從善服義之公心。或懷妬嫉，不考情實，雷同相從，隨聲是非」。「專己守殘，黨同門，妬道眞」。㈣是指出博士們自欺欺人，扼殺學術的情形。「以尚書爲備，謂左氏爲不傳春秋」、「欲以杜塞餘道，絕滅微學」。尚書殘缺，伏生未嘗諱言，故漢儒無不知之。博士們爲達到壟斷的目的，乃假神怪以造謠謂「或說尚書二十九篇者，法曰（北）斗與七宿；四七二十八篇，其一曰斗矣，故二十九是也」（注一一二）；「或說」者，正博士們所造的謠言。他們不僅排斥古文，即已與二十九篇編入在一起的後得泰誓及由河間獻王所獻的周官（注一一三），亦因他們的岐視而早告亡失。劉歆移書，義正詞嚴，是非昭如日月，使當時的博士，懾伏而不敢抗一言；龔勝、師丹，慚怒而不能置一辯；乃皮錫瑞生近二千年後，正學術自由，久蟄思奮之會，卻悍然倡「義以相反，安可並置：既知其過，又何必存；與其過存，無寧過廢」（注一一四）之謬說，煽學術憑政治以專制的毒焰，搆事實隨已意而有無的謊言。自欺欺人，詆今誣古。康有爲對劉歆所學的典籍，一概斥之爲出於劉歆的僞造，皮氏知康氏之說難以成立，只好硬著頭皮講這種橫蠻的話。今日言經學，言經學史，必首先反清末的今文學派的原因在此。

這裏順便對東漢的「古學」（注一一五）與西漢所稱的「古文」的問題加以澄清。「古文」指的是先秦以篆體所寫的典籍，東漢也常用此名詞，所指的與西漢無異。「古學」則是由劉歆們所發展出來的觀念，指的是被博士們所排斥的一組經典。劉歆們在移書中與博士相抗的有力口號之一，以博士們「是末師而非往古」，博士們所守的是「末師」，而劉歆們所提出的經典是「往古」，「古文」即是「往古」的證明。

劉歆所給與於東漢經學的影響很大。不僅桓譚「數從劉歆、揚雄辨析疑義」，孔奮「少從劉歆受春秋左氏傳」；並且東漢經學的開山大師鄭興，「天鳳中將門人從劉歆講正古義」；賈逵之「父徽，從劉歆受左氏春秋」（注一一六）。馬融、鄭玄之緒，皆由此出。移書中的「往古」乃「往古之學」，劉歆本指的是古文左氏春秋，古文尚書十六篇，古文逸禮三十九篇，這是「往古之學」與「古文」合一的。但順著這一線索發展出的東漢初年桓譚、杜林、衛宏、鄭興、賈逵們所提出的「古學」，則不是以今古文劃分的，不僅其中有古文，也有今文。嚴格的說，只有名義上的古文（古文尚書），並無實質上的古文。他們對博士們的「末師」而提出「古學」，和韓愈們對當時的「時文」而提出「古文」，以取得高一層的立足點的情形是相同的。被博士們壓抑的經典，以左氏春秋、穀梁春秋、古文尚書、毛詩四者爲代表。穀梁雖經宣帝的努力，得立於學官，但劉歆所要立官的，除移書中的古文尚書，左氏傳，逸禮外，尚有傳中所提出的毛詩。此時穀梁尚保有官學的地位。但逸禮三十九篇，也和尚書多出的十六篇一樣，因其爲祕府古文，並未在外流佈，所以東漢儒生所說的古文尚書，決未將十六篇包括在內，而逸禮三十九篇，不復爲東漢儒生所稱道。進入東漢，穀梁終被博士們排擠出來；所以東漢的十四博士，是易的施、孟、梁丘；書的歐陽、大小夏侯；詩的齊、魯、韓；禮的大戴、小戴、慶氏；春秋公羊的嚴氏、顏氏，其中沒有穀梁。於是東漢的古學，主要指的是古文尚書、毛詩、左氏、穀梁春秋。這是由劉歆所倡導的古文尚書、毛詩、逸禮、左氏春秋的自然演變。東漢帝室，因左氏傳的影響，大體是同情古學的。所以章帝建初八年「詔諸儒各選高才，受左氏、穀梁春秋，古文尚書、毛詩、由是四經遂行」。（後漢書賈逵列傳）。靈帝光和三年六月「詔公卿舉通尚書、毛詩、左氏、穀梁春秋各一人，悉除議郎」（後漢書靈帝紀）。靈帝詔中的尚書，必然是古文尚書，因今文尚書有歐陽、大小夏侯三家博士，無勞特別選受，更不必以議郎爲出路。這四經中，穀梁、毛詩，本以今文行世，這只要留心儒林傳及漢志著錄的情形卽可明瞭。大行於東漢的左氏傳，決非劉歆把祕府中的古文左氏傳擅自取出流佈，而只是民間今文左氏傳的流佈，古文尚書，乃是孔安國「以今文讀之」的古文尚書，名爲古文，而流佈的實際是今文，劉歆們並沒有把多出的十六篇取出流佈，所以賈逵在章帝前稱道古文尚書，只說「與經、傳、爾雅訓詁相應」，以後來的語言表達，卽是說古文尚書的版本比伏生今文尚書的版本好些，因文字多本義，所以與爾雅訓詁相應，這在版本學上是極易了解的情形。但決沒有提到多出的十六篇。兩次詔書都提到這四部書，雖未出古學之名，以免與朝廷的學制相抵觸，但與各古學經師治經的情形相對照，這四部書卽是「古學」的主要內容，是決無可疑的。並且這已脫出古文今文的字體範圍，也是至爲明顯的。乾嘉學派把古文古學，混而爲一，是莫大的錯誤。但東漢古學是來自劉歆，其由古文演進到古學，脈絡是很分明的。因劉歆的影響，好古學的人同時也習周官。不過劉歆未嘗把周官說成古文。東漢初年儒者也沒有把周官說成古文。把周官說成古文，始於許愼馬融。「古學」由「古文」的觀念演進而來，周官在馬融以前，沒有人承認它是來自古文，則兩次詔書中未將它列入，也是當然的。

三　西漢的經學思想

史、漢、儒林傳，只能看出經學的傳承，不能看出經學的意義。若經學無意義，則其傳承亦無意義。經學的文字，是客觀地存在；但由文字所蘊涵的意義，則須由人加以發現，而不是純客觀的固定的存在。發見常因人因時代而不同，所以經學意義的本身，即是一種進動地歷史產物。對它必須作「史地把握」，才可接觸到它在歷史脈博中的真生命。中國過去涉及經學史時，只言人的傳承，而不言傳承者對經學所把握的意義，這便隨經學的空洞化而經學史亦因之空洞化；更由經學史的空洞化，又使經學成爲缺乏生命的化石，則此一代表古代文化大傳統，在中國現實生活中的失墜，乃必然之事。卽使不考慮到古代傳統的復活問題，爲了經學史自身的完整性，也必須把時代各人物所了解的經學的意義，作鄭重的申述。這裏把它稱爲「經學思想」。此是今後治經學史的人應當努力的大方向，我在此作一嘗試。

㈠ 漢初經學思想

1. 陸賈

首先提醒漢代統治者的文化意識的是陸賈；他爲劉邦以通俗而有韻的語言，陳述了以儒家仁義之敎爲中心的文化大義，使劉邦聽了感到很新鮮，而命名爲「新語」。新語中在道基第一中，先給劉邦以概略地宇宙觀及歷史觀；在歷史觀中，把由神農到奚仲，創造人民物質生活必需條件的稱爲「先聖」；在建立刑政之後，更「設辟雍庠序之教，以正上下之儀，明父子之禮，君臣之義，使強不凌弱，衆不暴寡，棄貪鄙之心，興清潔之行」的稱爲「中聖」。而以「定五經、明六藝，承天統地，窮本察微，原情立本，以緒人倫……以匡衰亂」的稱爲「後聖」。這幾句話，可以說是他對五經、六藝所作的總評價。其歸結乃在「以緒人倫」一語。「人倫」，是將人分爲父子、君臣、夫婦、長幼、朋友等不同的類，而各賦與以適合其類的基本義務，以建立人與人的合理關係，因而建立有秩序的諧和社會，所以倫含有「倫類」「倫理」二義。陸賈親歷暴秦因刑政之苛，人倫道喪；再加以五年戰爭的大破壞，社會失掉了運行的常軌，所以他認定當時政治的急務，便在重建人倫的關係，使社會能在有秩序的諧和中得到安定，於是他所把握到的五經、六藝的意義，便在使已經紊亂了的人倫，重新得其條理（緒）；這即是他所說的「緒人倫」，「緒人倫」即所以「匡衰亂」。五經、六藝之所以能緒人倫，是因爲它能繼承天生物的仁（承天），統括地成物之義（統地），窮治亂之本（窮本），察得喪之微（察微），原於人情的自然（原情），建立人道的根本（立本），由此而提出人倫之教。所以人倫之教，實貫通於五經、六藝之中，爲五經、六藝意義的歸結。

人倫之教，雖因倫類之不同，而所要求的倫理不一，但倫理之所以成其爲倫理，倫理之所以能在政治社會人生上發生根源性的作用，因爲它（倫理）都是由五經、六藝的承天統地的仁義所貫通的。

所以五經、六藝的基源的意義，便可用「仁義」兩字加以概括。「仁」是人類之愛，「義」是事物之宜；以人類之愛，行事物之宜，這是倫理眞精神之所在。他在道基第一中說：

「百姓以德（恩）附，骨肉以仁親。夫婦以義合，朋友以義信。君臣以義序，百官以義承。曾閔以仁成大孝，伯姬以義建至貞。守國者以仁堅固，佐君者以義不傾（傾邪）。君以仁治，臣以義平。鄉黨以仁恂恂，朝廷以義便便……陽氣以仁生，陰氣以義降（疑當作成）。鹿鳴以仁求其羣，關雎以義名其雄。春秋以仁義貶絕，詩以仁義存亡。乾坤以仁和合，八卦以義相承。書以仁敍九族，君臣以義制忠。禮以仁盡節，樂以禮（疑當作「義」）升降。仁者道之紀，義者聖之學。學之者明，失之者昏，背之者亡」。

陸賈對仁義兩字的用法，非常有分際，尤其是他對夫婦、朋友、君臣、百官的關係，特強調一個「義」字，意義深遠。事物之宜，爲人所持循，即成爲人立身之節。「君臣以義制忠」，這種忠，便不是人臣對人君片面順從的關係。由此可以了解陸賈把五經、六藝的基源意義，應用到人倫中，也就是應用到現實地人生，政治、社會中，都非常懇到深切，而不是膚語套語。所以五經、六藝，在他是活的而不是死的。（注一一七）

2. 賈誼

劉歆在讓太常博士書中謂「在漢朝之儒，唯賈生而已」的賈誼，他融合「道、法、儒」三家思想，以建立一完整的哲學系統，而以六藝爲這一哲學系統的承當與實現。可以說他賦予六藝以極崇高的地位。他在新書道術篇中說了道是虛的本性，及道與術接物的情形；而所謂術，卻是仁、義、禮、信、公、法，及舉賢使能等在政治上的效用；更進一步，把五十五種人生價值、智能，也卽是將一切人生價值、智能，皆作爲道體的內容。在六術篇中說明由道而德的創生情形。德自身含有「道、德、性、神、明、命」的「六理」；此六理應理解爲人生價值智能的總括。德因有此六理，便可創生萬物；此六理卽蘊含於各物的生命之中，爲各物所自有，而稱之爲「六法」。在德之自身稱爲「六理」，爲各物所具有的稱爲「六法」。實質上，六理六法是一件事。六法可由內向外實現，而成爲仁、義、禮、智、聖、樂的六術、六行。就其由內通向外的情形而言，稱爲「六術」，術是一種通道。就其可以成爲行爲而言，稱爲「六行」。實質上，「六術」、「六行」是一件事。總的意思，德以其價值智能的全體創造了人，人因而也具有價值智能的全體。但賈生又認爲：

「然而人雖有六行，微細難識，唯先王能審之。凡人弗能自至，是故必待先王六教，乃知所從事。是以先王爲天下設教，因人所有，以之爲訓。道（導）人之情，以之爲眞（現實上的眞）。是故內法六法，外體六行，以與（興）書、詩、易、春秋、禮、樂六者之術，以爲大義，謂之六藝。令人緣之以自脩，脩成則有六行矣。六行不（不字疑衍）正，反合六法。藝之所以六者，法六法而體六行故也。故曰六則備矣」（六術篇）。

賈生在六術篇中以「六理」爲道德創生的基本條件與性格，在道德篇中又提出德「有道、有德、有仁、有義、有忠、有密」的「六美」。德的六理六美，因創造陰陽天地，人與萬物，而同時卽賦予於陰陽天地人與萬物，通過六藝而把它表著出來。他說：

「六理六美，德之所以生陰陽天地，人與萬物……是故著此（指六理六美，下同）竹帛，謂之書。書者此之著者也；詩者此之志者也；易者此之占者也；春秋者此之紀者也；禮者此之體者也；樂者此之樂者也」。

「書者著德之理於竹帛，而陳之令人觀焉，以著所從事，故曰書者此之著者也。詩者志德之理而明其指，令人緣之以自成也，故曰詩者此之志者也。易者按人之精德（作「精於德」理解）之理與弗（否），循而占其吉凶，故曰易者此之占也。春秋者，守往事之合德之理之（疑衍文）與不，合而紀其成敗以爲來事法，故曰，春秋者此之紀者也。禮者體德理而爲之節文，成人事，故曰禮者此之體者也。樂者書、詩、易、春秋、禮五者之道脩，則合於德矣。合則讙然大樂矣，故曰樂者此之樂者也」。

他認爲能脩治（實現）詩、書、易、春秋、禮之道，便可與創造陰陽天地人與萬物之德，合而爲一；由此以言五經所含價值的崇高、廣大，因而具有無限創造的效能。他的「尊經」，遠超過後儒「尊經」之上。六經的序列，經過他作了新的安排，可知他是下過了一番眞實工夫；而古典的意義，我已經說過，不是一種存在而是由人加以發現；賈生把六藝安放在他的哲學構造中來發現六藝的總括性地意義，認爲這是由形上向形下的落實；而形下的落實，卽是形上的實現。總括性地意義，是由各別意義的抽象而來；這中間實已含有由形下推向形上的歷程；形上形下的往復，成爲他哲學的構造；所以六藝在他的哲學構造中的地位，是出自他的眞實的感受，並不是憑空說一場大話。西漢儒生，常把經安放到與天同等的地位，其源實啓自陸賈與賈誼。但不僅陸賈把五經、六藝的意義認爲人情所固有，所以他特提出「原情」兩字。卽使賈誼把六藝的道理提升得這樣高，但依然要說這是「因人所有」。這與中庸的「以人治人」的意思是相合的。

通過新書看，賈誼對六藝的評價，無分軒輊；但對於禮他下了更多的工夫，在新書中有禮篇及容經，作了較詳的發揮。因爲他的哲學系統，是要形上在形下中實現，這便含有嚴格地實踐的要求，而禮正是成立於由內容到實踐之上；禮卽是實踐。我在「賈誼思想的再發現」一文（注一一八）中曾說「在賈誼心目中，禮是人的行爲的規範，是政治結構，社會結構中的精神紐帶及組織原理。而在經濟中則又爲對一般人民生活的保證，及對特殊利益者的一種限制。漢初儒生，面對着大一統的帝國，而要賦予以運行的軌跡，使其能鞏固安定。並且要在皇權專制政治之下，建立人與人的合理關係，使每個人能過著有秩序而又諧和的生活，以賈誼爲代表的儒生，便只有集結整理儒家由孔子以來的禮的思想，以作爲法治的根據及教化的手段與目標。眞正的法治，只有在禮的政治社會的精神紐帶中，才可運行而不匱。大小戴記的成立，淮南門客特長於言法、言禮，董仲舒以禮與公羊相結合，司馬遷著史記，特立禮書、樂書，都是在此一大背景之下，約百年之間，儒生所追求的合理的政治社會的大方向」。所以他們心目中的禮，是與「禮教吃人」，恰恰相反的。禮篇中有一段話是：

「禮，天子愛天下，諸侯愛境內，大夫愛官屬，士庶各愛其家。失愛不仁，過愛不義。禮者所以守尊卑之經，強弱之稱者也。……君仁臣忠，父慈子孝，兄友弟敬，夫和妻柔，姑慈婦聽，禮之至也。……故饗飲之禮，先爵於卑賤而后貴者。……故禮者所以恤下也。……國無九年之蓄，謂之不足。無六年之蓄，謂之急，無三年之蓄，國非其國也。……樂也者上下同之。故禮，國有饑人，人主不飧。國有凍人，人主不裘。報囚之日，人主不擧樂。……故禮者自行之義，養民之道也。受計之禮，主所親拜者二。聞生民之數，則拜之。聞登穀則拜之」。所以由禮所建立的倫理關係，不僅是義務對等的倫理關係，而且政治上是一貫以愛民卹下爲心的倫理關係。漢初百年所言的禮，都是爲解決現實問題的禮；這與乾嘉學派們專在古器物上用心的禮，有本質上的分別。

3. 淮南王安的賓客

從今日可以看到的淮南子一書加以考查，淮南王安的賓客中，雖以道家及方士爲主，但也包含有一個出色的儒家集團在裏面。而主術訓則是想融合儒、道兩家的思想以建立政治的規範，但不知不覺地因現實的問題而側重到儒家。修務訓、泰族訓則主要由儒家執筆（注一一九）。五經在淮南子中的分量，遠不及老子的重要；但也不是完全沒有引用。漢書、藝文志中錄有淮南、道訓二篇，班固註爲「淮南王安聘明易者九人，號九師法」。所以淮南子中引用最多的是易，其次是詩。再其次是春秋的公羊傳。論及經學意義的有的是近於道家的立場，有的是站在儒家的立場。近道家立場的一段話是：

「百川異源而皆歸於海，百家殊業而皆務於治。王道缺而詩作，周室廢，禮義壞，而春秋作。詩、春秋，學之美者也，皆衰世之造也。儒者循之以教導於世，豈若三代之盛哉。以詩、春秋爲古之道而貴之，又有未作詩、春秋之時。夫道其缺也，不若道其全也。誦先王之詩、書，不若聞得其言。聞得其言不若得其所以言」。（氾論訓）

泰族訓是站在儒家立場寫的，所以這一篇引用詩、易最多，其義最純。其論及五經大義的一段話是：

「五行異氣而皆適調；六藝異科而皆同道。溫惠柔良者詩之風也。淳龐敦厚者書之敎也。清明條達者易之義也。恭儉尊讓者禮之爲也。寬裕簡易者樂之化也。刺幾（譏）辯義者春秋之靡也。故易之失鬼，樂之失淫，詩之失愚，書之失拘，禮之失忮，春秋之失訾。六者聖人兼用而財（裁）制之，失本則亂，得本則治。其美在調，其失在權」。

上面的話中，以清明條達言易，由此可窺見九家易的特出智慧。他們提出「兼用而財制之」，「其美在調」的觀念。又特別提出「本」的觀念，通過其他有關文字看，他們之所謂「本」，是指仁義，或指禮義而言。以仁義、禮義統攝六藝，使六藝成爲一貫的思想系統。把兩個觀念合在一起，則將六藝推上一層看，有共同的普遍性，此即所謂「本」。將六藝落下一層看，則各藝有各藝的特殊性。在特殊性中各有長短，所以應「兼用而財制之」。這是針對現實，使六藝成爲活的思想去加以把握。這段話可能是受了禮記經解的影響而修正了，也向前推進了一大步。同時也可反映出強調所謂「專經」觀念的鄙陋。

下面幾句話是把六藝的價值作極其量的陳述。

「夫觀六藝之廣崇，窮道德之淵源。達乎無上，至乎無下……其所以鑒觀，豈不大哉」。

4. 董仲舒

董仲舒以公羊春秋名家。但班固謂：「仲舒所著皆明經術之意」。又謂「仲舒遭漢承秦滅學之後，六經離析；下帷發憤，潛心大業，令後學者有所統一，爲羣儒首」（注一二〇）。由此可知他是鎔鑄六經和論語以爲學，鎔鑄六經和論語以釋公羊的。他的天人三策，也正可反映出這一點。在天人三策中，言春秋者九，引詩者五，引書者二，而其中言唐虞三代者皆本於書；引易者一，言禮、言樂在教化及濟經生活上的重大意義，引論語者十三，引曾子者一，引有孟子之言而未出其名。三策可以說是今日可以看到的春秋繁露一書的拔萃；而他表現在仁義法第二十六中說：「春秋之所治，人與我也。所以治人與我者，仁與義也。以仁安人，以義正我」，這是他對公羊春秋的總結，也是他所把握到的儒家思想的總結。他所言公羊春秋之義，我在「先秦儒家思想的轉折及天的哲學的完成」一文中，作了較詳細的討論（注一二一），此處不再重複。他在對策中謂「孔子作春秋，上揆之天道，下質諸人情；

參之於古，考之於今。故春秋之所譏，災害之所加也。春秋之所惡，怪異之所施也」。他把春秋的意義，與天的意志，結合在一起。從五經形成的歷史看，大致上是周初所繼承的天的觀念，逐漸向下落，落到人的身上，由人的行爲善惡，代替天解答吉凶禍福的問題；於是人所佔的地位日重，而天的分量反日輕，輕到退居於不太明顯的薄霧裏。戰國中期前後，天道隨陰陽觀念的興起而重新彰著，首先受到影響的是易傳，但易傳也只說到「易之爲道也，與天地準」，並未說易道即是天道。到漢儒由賈、陸起，把五經、六藝與天道連結起來，發展到董仲舒而以陰陽言天道，推拓到無所不包；所以我說他是「天的哲學的完成」；再把春秋與天道結合起來，使以春秋爲代表的五經，也隨天道的無所不包而也無所不包。順着此一方向，再由夏侯始昌、京房、翼奉們向前推展，形成經學的新面貌，新傳統，我站在知識的立場，站在歷史把握的立場，認爲他們所說的，不是眞實的，也是與歷史不孚的，所以我說這是一個岐途。而這個岐途，到了西漢末期，已開始感到需要加以矯正。但換另外一角度看，他們把經學與天道連結在一起，把人間世的一切活動，尤其是政治權力，社會生活等，都包括在經學之內，由他們所學的經學來作解釋、作審判，這反映出他們的胸襟氣象，是非常宏濶；他們的精神是植根得非常深廣的。正因爲如此，他們才可面對大一統的皇帝，經常提出直言極諫。或許也可以這樣說，戰國時代的遊士們，可以用「古之有也」的「古」去抗衡統治者。及統治者由王而進爲皇帝，僅一個「古」還不够抗衡的分量，便再加上一個「天」。並且從知識的觀點說，我們認爲他們所說的經與天的關係是不眞實，也是不需要的。這是經過了三百年的科學洗禮，更有一套科學去擔負這方面的解釋責任。但在兩千年前，沒有近代科學的成就，可是當時的人，卻有要求了解今日科學家作爲研究對象的權利；於是當時的儒生，更須擔負今日科學家所擔負的解釋的責任。我們不應以今日的科學知識去繩尺他們，而只能推服他們盡到了歷史所課予他們的責任。但不要忽視，董仲舒「上揆之天道」，還要「下質諸人情」；不能確切的天道，落下來「質諸人情」，便有確切而眞實的內容，有確切而眞實的意義了。對漢儒把經學與天道結合在一起的各種說法，都要順着此一方向去了解。

董仲舒在春秋繁露卷一玉杯第二，有一段總論六藝的話，可與上引淮南子中的一段，互相發明，玆抄錄如下：

「君子知在位者之不能以惡服人也，是故簡六藝以贍養之。詩、書序其志，禮、樂純其美，易、春秋明其知。六學皆大，而各有所長。詩道志，故長於質。禮制節，故長於文。樂詠德，故長於風。書著功，故長於事。易本天地，故長於數。春秋正是非，故長於治人」。

5. 司馬遷

曾從董仲舒受公羊春秋，並能挹其英華，去其蕪累的司馬遷（注一二二），對六藝的意義，也有較集中的敍述。史記卷一一七司馬相如列傳贊：

「太史公曰，春秋推見至隱；易本隱以之顯；大雅言王公大人，而德逮黎庶；小雅譏小己之得失，其流及上。所以言雖外殊，其合德一也」。

這裏只提到春秋、易、及詩的大雅、小雅。史公以春秋與易，互爲表裏。自序引「易曰，失之毫釐，差以千里」，毫釐是統治者的動機，即所謂「幾」，即所謂「隱」；「千里」是統治者的行爲，及行爲的結果，即所謂「顯」。史公認爲易是由統治者動機的邪正以推斷出由動機所引起的行爲與其結果的。而春秋則由統治者的行爲、結果，以推見其所以有此行爲，結果，乃來自統治者的隱微之地的動機。易與春秋，都是把統治者的動機、行爲、結果的因果關係，彰著出來，使統治者無法逃避自己應負的責任，由此以作爲判斷人類行爲的準繩（義法）。詩大雅之所以言及王公大人，並不是因爲王公大人的權勢，而是因爲他們的德惠能下及於衆庶。否則王公大人，不値得稱道。小雅刺譏個人的得失，並揭明這種得失，乃來自在上的統治者。所以易、春秋、詩，都對現實政治，有勸懲規整的重大意義。他特爲司馬相如立傳，是認爲司馬相如文學上的成就，與易、春秋及大小雅之義相合。這也可以看作他對文學所指出的大方向。史記卷一二六滑稽列傳：

「孔子曰，六藝於治，一也。禮以節人，樂以發和，書以道事，詩以達意，易以神化，春秋以道義」。

上面一段話，是繼承先秦以來的通說。他針對當時政治、社會的危機，特別重視禮樂的意義，所以在史記中特作禮書、樂書，特針對當時嚴重的政治問題，以言禮樂的意義（注一二三）。但史公也和董仲舒一樣，是把六藝的意義，集注於春秋，由春秋加以統貫。十二諸侯年表序：

是以孔子明王道，干七十餘君莫能用，故西觀周室，論史記舊聞，興於魯而次春秋，上記隱，下至哀之獲麟，約其辭文，去其煩重，以制義法，王道備，人事浹」。

自序：

「余聞董生曰：『周德衰廢，孔子爲魯司寇，諸侯害之，大夫壅之。孔子知言之不用，道之不行也，是非二百四十二年之中，以爲天下儀表。貶天子，退諸侯，討大夫，以達王事而已矣。』子曰：『我欲載之空言，不如見之於行事之深切著明也。』夫春秋上明三王之道，下辨人事之紀。別嫌疑，明是非，定猶豫，善善惡惡，賢賢賤不肖，存亡國，繼絕世，補敝起廢，王道之大者也』。

上面一段話，等於是董仲舒言春秋意義的精華。又接着平述六藝之功用後，更歸結到春秋說：

「易著天地陰陽四時五行，故長於變；禮綱紀人倫，故長於行；書記先王之事，故長於政；詩記山川谿谷，禽獸草木，牝牡雌雄，故長於風；樂樂所以立（疑作「生」），故長於和；春秋辨是非，故長於治人。是故禮以節人，樂以發和，書以道事，詩以達意，易以道化，春秋以道義，撥亂世反之正，莫近於春秋。春秋文成數萬，其指數千。萬物之聚散，皆在春秋。春秋之中，弑君三十六，亡國五十二。諸侯奔走不得保其社稷者不可勝數。察其所以，皆失其本已（指禮義）。故易曰：『失之毫釐，差以千里。』故曰：『臣弑君，子弑父，非一旦一夕之故也，其漸久矣。』」

更說：

「故春秋者，禮義之大宗也。夫禮禁未然之前，法施已然之後。法之所爲用者易見，而禮之所爲禁者難知」。

春秋通過行爲因果關係的敍述，把「禮之所爲難知」的彰著出來，使其成爲易知，因而可爲天下後世儀表。一部震古鑠今的史記，便是在六藝，尤其是在春秋啓發之下乃得以出現的。

(二) 漢中期以後的經學思想

1. 由社會層面進入政治層面

前面所述的經學思想，乃存千百於十一的經學思想；因爲許多有思想的經師的著作都已亡佚了。此時的教學，是立足於社會之上的教學。經學思想，也主要是傳播於社會之上的經學思想。這才是罷退百家，獨尊儒術，改雜家博士爲五經博士的強有力的背景。五經博士成立以後，開闢了儒生憑經學以進入仕途的門徑，也敞開了經學由社會層面直接進入政治層面的通道。但武帝一代的精神物質，都通過酷吏，及言利之臣，傾注到窮兵黷武，及縱心逞欲方面；除了初期用了一個曲學阿世的公孫弘，及偶然緣飾儒術外，政治中的儒學氣氛非常稀薄。經過昭帝始元六年，霍光利用賢良文學議罷鹽鐵以打擊桑弘羊等，取得完全擅政之實；但儒生也得此機會，正式針對現實，在朝堂上，作了一次以孔子爲中心的經學意義的宣揚。影響所及，宣帝雖本以霸王道雜之（注一二四），而實以霸（法家）爲主；但經學在朝廷政治中的氣氛，一天濃厚一天，經元帝、成帝、哀帝而極盛。這主要表現在儒生的奏議方面。西漢文景之盛，一般知識分子的活動，主要表現在辭賦上。宣帝以後，則主要表現爲儒生的奏議；在這些奏議中，氣象博大剛正，爲人民作了沉痛的呼號，對弊政作了深切的抨擊，這都是由經學教養中所鼓鑄而出，爲以後各朝代所難企及。此正說明經學的意義，已由社會的層面升到政治的層面。所以我在這裏總的說一句，賈山至言董仲舒天人三策以後，宣、元、成、哀各代的經學意義，是通過他們的奏議而表現出來的。沒有經學，便不能出現這些擲地有聲的奏議。雖然其中多緣災異以立言，但若稍稍落實地去了解，則災異只是外衣，外衣裏的現實政治社會的利弊是非，才是他們奏議中的實質。他們對現實政治社會的利弊是非，能觀察得這樣眞切，能陳述得這樣著明，是出於他們平日與人民爲一體之仁，及判斷明決，行爲果斷之義。這正是由經學塑造而來。所以兩漢經學，除死守章句的小儒外，乃是由竹帛進入到他們的生命，再由生命展現爲奏議，展現爲名節的經學；這除宋代的理學家外，與一般人所了解的經學，尤其是與兩部正續皇清經解所代表的清代經學，有本質上的差異。關於這一點，我希望能另以專文陳述。此處只簡單地提破。下面略就經學在政治層面伸展的歷程，及奏議中對經義說得比較直接而完整的，稍加敍述。

2. 經學在政治層面伸展的歷程

經學在政治層面伸展的歷程，可從詔令加以考查。

劉邦得天下後，特注意法令。在六年十二月的赦詔中，以當時功臣，「身居軍九年，或未習法令」爲言。又「廷尉所不能決，謹具爲奏，傅所當比律令以聞」，這是使政治上軌道的初步工作。在十一年求賢詔中謂「蓋聞王者莫高於周文，伯者莫高於齊桓，皆待賢人而成名」。這是受到陸賈的影響，而粗枝大葉的接觸到儒家的典籍，但未嘗直接引用到五經、六藝。惟魏相表奏引高皇帝所述書天子所服第八（注一二五），則顯已受呂氏春秋十二紀紀首的影響。十二紀紀首後編入禮記，遂成爲經學中組成分子之一。不過在他手敕太子的敕令中謂「吾遭亂世，當秦禁學，自喜謂讀書無益。洎踐祚以來，時方省書，乃使人知作者之意。追思昔所行，多不是」（注一二六）。這已開啓了帝室從事學問的端緒。

文帝雖好刑名，但已進一步受到儒家思想的影響。不僅元年三月養老詔中引「孟子曰，老者非帛不暖，非肉不飽」；十三年五月除肉刑詔中引「詩曰，悌弟君子，民之父母」（注一二七）；且元年正月答有司請建太子詔中提出「今縱不能博求天下聖賢有德之人，而嬗天下焉」的觀念，二年十一月日食求言詔提出「乃舉賢良方正能直言極諫者以匡朕之不逮」的要求；二年正月（按實卽夏正的十二月）開藉田詔中「朕親率耕，以奉宗廟粢盛」。十三年四月勸耕桑詔中謂「朕親率天下農耕，以供粢盛；皇后親桑，以供祭服」，尤其是孝弟力田，恤孤敬老重本抑末的社會政策，及減刑、減稅、躬行節儉等等，不能說他不是受了儒家思想的影響。更重要的是，文帝卽位之初，命諸儒生博士，采摭古今，成立王制一篇，欲以建立政治最高典範。他們雖未能完全按照實行，但此後因人因事，不能不直接間接，發生提撕規整的意義。例如其中的學校、選擧、儲蓄等，都發生了相當的作用；而使民之力，每年不過三日，一直到二十世紀六十年代之初，對鄧拓等還發生了對現實批判的啓發。也可以說，文帝已意識地想在儒家經典中尋找有意義的導向。這對漢代乃至對後代的政治思想而言，是一件大事。但文帝教導他的兒子景帝的，是由朝錯傳習的法家思想；而對景帝及武帝具有很大權威的竇太后，則是「素好黃老術，非薄五經」（武帝紀）；因此，在景帝的詔令中，未嘗引用儒家經傳。但他繼續發展了文帝的重本抑末的政策，用了轅固、董仲舒等爲博士，及保全轅固免於誅戮之禍等，只能說他對儒家比較疏遠，但未嘗特加貶黜。到了武帝，則情形爲之一變，詔令中常直接引用到經傳。此即武帝紀贊所謂「號令文章，煥焉可述」。自此以後，經傳在詔令奏議中的作用，也就是當時常常說到的「經義」的作用，有如今日政治中決定大是大非的法制乃至憲法。例如武帝援春秋復九世之仇之義以擊匈奴；呂步舒以公羊治淮南大獄；雋不疑援春秋以收縛「自謂衞太子」的男子；魏相援春秋以奪霍光家族的權勢；宣帝「博問經學之士，有以應變」；元帝賜諸葛豐書「勉處中和，順經術意」；報貢禹「守經據古，不阿當世」；成帝使王商詰問賈捐之棄珠崖之議，虧先帝功德，「經義何以處之」；孛星求直言詔「明以經對，無有所諱」；白虎殿策方正直言「天地之道何貴……當世之治何務，各以經對」；引孔子放鄭聲以罷樂府；哀帝以「皆背經義」蠲除改元之制書；元王皇后以「僻經妄說」罷申屠剛；以「詭經辟說」罷馮宮；以「朝臣論議，靡不據經」策王莽九錫。平當「輒傳經義言得失」；

張敞「以經術自輔」；王尊援「經所謂造獄」以懸磔娶母之子；匡衡「朝廷有政議，傅以經對，言多義法」等；可略見一般。這裏便出現另一現象，經傳在詔令奏議中的意義，每隨人而不同；這正證明孔子所說的「人能弘道，非道弘人」的道理。也恰如今日政治落後地區，統治者所說的憲法、法治、與社會所要求的憲法、法治，可以完全相反，是相同的情形。但總的來說，依然可以發生補救的作用，及維繫政治上的大綱維於不墜。以武帝的驕泰，但在封五子制中說「且天非爲君生民也」；在封皇子制中以周室獨尊康叔爲「褒有德也」；在復高年子孫詔中說「輔世長民莫如德」；在詔賢良中，嚮慕「周之成康，刑錯不用」；議不擧孝廉者罪中嚮慕「本仁祖義，褒德祿賢」的「五帝三王」；赦詔中引易與詩說明他「嘉唐、虞而樂殷、周」；在勸學詔中說「蓋聞導民以禮，風之以樂」；在遣謁者循行天下詔中，遣博士褚大等循行天下詔中，都存問鰥寡孤獨廢疾、禁兼併姦猾；在振流民詔中，遣博士循行振飢詔中，都「下巴蜀之粟」以振飢民；最後以哀痛之情，罷輪台屯田之議，認爲「當今務在禁苛暴，止擅賦，力本農，修馬復令以補缺，毋乏武備而已」；使漢室危而復安，未嘗不是由經術收補救之功。元、成、哀三朝，是由外戚、宦官、佞倖三種人專政，經義所發生的補救、規整乃至教養上的作用，是不應加以抹煞的。至武帝引易乾之飛龍鴻漸以封欒大；哀帝引書的「用德章厥善」以封董賢；元王后自己「僻經妄說」，培育王氏，反以此罪申屠剛、馬宮，這在今日也不乏其例，乃是少數中的少數，徒成爲歷史的笑柄。

皇室對太子的教養，自武帝以後，多以經傳爲教材，由出色的儒生擔任教授；雖然不能達到教養的目的，此乃專制體制中傳子的形勢使然，不能因此而抹煞此事的重大意義。漢書六三武五子傳「戾太子據……少壯，詔受公羊春秋。又從瑕丘江公受穀梁」。六六蔡誼傳「誼說詩，甚說之，爲光祿大夫，給事中，進授昭帝」。七三韋賢傳「徵爲博士給事中，授昭帝詩」。五九張安世傳「宣帝以皇曾孫收養掖庭，賀（張賀）教書，令受詩」。六八霍光傳「孝武皇帝曾孫病已（即宣帝）……今年十八，師受論語、孝經」。七一疏廣傳「皇太子年十二，通論語、孝經」。七八蕭望之傳「爲太傅，以論語、禮服授太子（元帝）」，八十八儒林傳：歐陽地餘、夏侯勝爲太子太傅，撰尚書、論語說。夏侯建、周堪皆以尚書爲太子少傅。孔霸以太中大夫授太子（書）經。張游卿以詩授元帝。嚴彭祖、疏廣，皆爲太子（元帝）太傅。所以元帝所受經學最深。鄭寬中以博士授太子（成帝）尚書。八一張禹傳「詔令禹授太子（成帝）論語」。韋玄成、韋賞以詩授哀帝。（儒林傳）。這裏所舉的並不完全。

3. 奏議中所直接提出的經學意義

現在再從奏議對經義直接而具有概括性的言論，作舉例性的陳述。（次序略按全漢文）

漢書卷六十杜欽傳：「杜欽白虎殿對策『臣聞天道重信，地道貴貞。不信不貞，萬物不生。生，天地之所貴也。王者承天地之所生，理而成之，昆蟲草木，靡不得其所。王者法天地，非仁無以廣施，非義無以正身。克己就義，恕以及人，六經之所上也』」。他不是以「克己就義，恕以及人」來概括六經之義；前面所言天地之所貴，王者之所法，皆可概括於經義之中。杜欽在此處係牽就策問的格局（見前）以爲言。「所上」猶言「所先」；意謂經義弘富，而以克己就義，恕以及人爲先；這是針對成帝的生活情形來說的。且就論語顏淵問仁，孔子答以「克己復禮爲仁」，子貢問有一言而可以終身行之者乎？孔子答以「其恕乎」觀之，杜欽是深於論語，其言頗爲切至。

漢書卷七十五眭弘傳、弘從嬴公受春秋（公羊春秋），爲議郎。他上書謂「先師董仲舒有言，雖有繼體守文之君，不害聖人之受命。漢家堯後，有傳國之運。漢帝宜誰？差（使）天下求索賢人，禪以帝位，而退自封百里，如殷、周二王後，以求承順天命」。霍光以他「妄設祅言惑衆」，把他殺掉了。按「天下爲公」，是儒家經學的最基本的微言，而董氏秉承此一微言，得賴眭孟傳承下來，也和韓嬰的微言，得賴蓋寬饒拚掉性命傳承下來一樣。（注一二八）

漢書卷七十八蕭望之傳上請選諫官疏「朝無爭臣，則不知過；國無達士，則不聞善。願陛下選明經術，溫故知新，通於幾微謀慮之士，以爲內臣，與參政事」。是他以經術可以養成爭臣達士。

漢書卷八十一匡衡傳言政治得失疏中要元帝「昭無欲之路，覽六藝之意」。勸經學威儀之則疏中有一段話，說得比較具體。他說「臣聞六經者，聖人所以統天地之心，著善惡之歸，明吉凶之分，通人道之正，使不蔽於其本性者也。故審六藝之指，則天下人之理，可得而和；草木昆蟲，可得而育；此永永不易之道也。及論語孝經，聖人言行之要，宜究其意」。通於六藝之義，可以使人不蔽於其本性，此卽中庸所謂「天命之謂性、率性之謂道，修道之謂敎」，乃窮根究柢之言。

王式謂他事昌邑王，「以三百五篇諫」，這在劉向、匡衡的諫疏中，可以看出明顯的例證。匡衡言治性正家疏「臣聞治亂安危之機，在乎審所用心」。「又聞室家之道修，則天下之理得。故詩始國風，禮本冠昏。始乎國風，原情性而明人倫也。本乎冠昏，正基兆而防未然也」。針對成帝好色寵內，而上戒妃匹勸經學威儀之則疏中「詩云煢煢在疚，言成王喪畢，思慕意氣未能平也。蓋所以就文武之業，崇大化之本也。臣又聞之師曰，匹配之際，生民之始，萬福之泉。婚姻之禮正，然後品物遂而天命全。孔子論詩，以關雎爲始。言太上者民之父母。后夫人之行，不侔乎天地，則無以奉神靈之統，而理萬物之宜。故詩曰，窈窕淑女，君子好逑。言能致其貞淑，不貳其操；情欲之感，無介乎容儀；宴私之意，不形於動靜，夫然後可以配至尊而爲宗廟王。此綱紀之首，王敎之端也」。這是發揮詩的大義，以匡諫成帝後宮淫亂的情形。

匡衡在禱高祖孝文武廟時謂「故動作接神，必因古聖之經…又祭祀之義，以民爲本」，這都有其實際的意義。

西漢儒生，不把叔孫通所制的禮當作禮，而一直是由古禮來追求禮在時代中的意義。朝儀制定後，因與皇權專制者的要求相合，這不是儒生可以動搖的。但武帝爲滿足他驕奢愚妄的心理以實行封禪，當時儒生因此以禮所未有，且亦爲禮所不許，故奉命議定儀式，終不敢隨意馳騁，以順從武帝的侈心，於是封禪之儀，不得不出於方士之手；卽此一端，也可窺見禮所發生的消極作用。宣、元、成時代，以宗廟、祭祀爲中心，不斷發生禮的爭論，在這些爭論中，儒生秉持經義禮意，不惜直接與皇帝皇室相對立；雖然他們在這方面的主張終未能貫徹，但亦可由此以窺見禮的眞實意義。

西漢淫祠遍於天下，這種迷信，實耗費大量民脂民膏，於是儒生要復郊禮以罷淫祠，在政治上是一件大事。一直要到成帝時代，匡衡、張譚，始「條奏長安厨官縣官；給祠郡國侯神方士使者所祠凡六百八十三所；其二百八所應禮，及疑無明文，可奉祠如故；其餘四百七十五所不應禮，或復重，請皆罷。奏可。本雍舊祠二百（地理志稱「三百」）三所，唯山川諸星十五所爲應禮云，若諸布諸嚴諸逐，皆罷。杜主有五祠，置其一。又罷高祖所立梁、晉、秦、荆巫、九天、南山、萊中之屬；及孝文渭陽，孝武薄忌泰一，三一、黃帝，冥羊、馬行、泰一，臯山山君、武夷、夏后啓母石、萬里沙、八神、延年之屬；及孝宣參山，蓬山，之罘、成山、萊山、四時、蚩尤、勞谷、五牀、僊人、玉女、徑路、黃帝、天神、原水之屬皆罷」。（漢書卷二五郊祀志）。

劉邦以平民取得天下，要神化自己及他的家族，在郡國立廟，到宣帝時「凡祖宗廟在郡國六十八，合百六十七所。而京師自高祖下至宣帝與太上皇、悼皇考，各自居陵旁立廟，並爲百七十六。又園中各有寢便殿，日祭於寢，月祭於廟，時祭於便殿…一歲祠，上食二萬四千四百五十五，用衞士四萬五千一百二十九人，祝宰樂人萬二千一百四十七人。養犧牲卒不在數中」。這種浪費實在可觀。貢禹、韋玄成等以天子七廟之禮爲立言的根據；奏請在禮制以外者皆宜罷毁。（以上見漢書七十三韋玄成傳）

上述兩事，雖不斷反覆，並未完全實現；但我們今日試讀王吉、貢禹、韋玄成、匡衡、谷永、杜鄴等的奏議，便不能不承認，他們心目中的禮，不僅是專制迷霧中的一盞明燈；而且他們爭持的基本動機，乃是出自生民的休戚；這是可用封建兩字，抹煞五經中的禮在現實中重大意義的一端嗎？

漢書卷七十五翼奉傳「奉奏封事曰，天地設位，懸日月，布星辰，分陰陽，定四時，列五行，以示聖人，名之曰道。聖人見道然後知王治之象，故畫州土，建君臣，立律歷，陳成敗，以示賢者，名之曰經。賢者見經，然後知人道之務，則詩、書、易、春秋、禮、樂是也。易有陰陽，詩有五際，春秋有災異，皆列終始，推得失，考天心，以言王道之安危」。按夏侯始昌承董仲舒之流，將經學加以神秘化。翼奉從后蒼受齊詩，而后蒼事夏侯始昌。翼奉把夏侯始昌的陰陽五行災異之說，更向前推前一步，推到在子丑寅卯等十二辰上生根，又轉而與人的情性結合在一起，不僅以此言災異，且以此爲知人之術。這裏不深入探討，僅指出他把天道與聖經，不從抽象的原則，而從具體的事物，結合在一起，這是董仲舒將春秋與天道相結合後的向前演變。班固把眭孟、夏侯始昌、夏侯勝、京房、翼奉、李尋六人彙爲一傳，這是與緯書有密切關連，要把經學與天道從以陰陽災異爲橋梁，演出各種奇特構想的歧途，別派。班固在贊中本張禹之意謂「然子貢猶云，夫子之文章，可得而聞；夫子之言性與天道，不可得而聞已矣」，（注一二九）又謂這種構想，是由「假經設義，依托象類」而來，作這種構想的人，得不到好結果，所以「仲舒下吏，夏侯囚執，眭孟誅戮，李尋流放，此學者之大戒也」。這不是班氏一個人的意見，而是西漢末期在經學發展上必須有的迴轉。

4. 揚雄心目中的經學意義

才高學博，思深業勤，完全能擺脫學術中的神秘氣氛，且鄙視博士們章句之陋，其識力足以度越一代的，當推揚雄。揚雄的思想，是由道家回歸到儒家的。他的太玄，是儒道兩種思想的結合，而法言則完全立足於儒家之上。法言的體製仿論語，其中稱頌孔子、顏淵的分量特別重，則他的推尊論語，無俟多論。下面簡錄法言中有關五經的議論。

(一)觀書者譬諸觀山及水。升東嶽而知衆山之邐迤也，況介（小）丘乎？浮滄海而知江河之惡沱（濁水不流之貌）也，況枯澤乎？舍舟航而濟乎瀆者末矣。舍五經而濟乎道者末矣。棄常珍而嗜乎異饌者，惡睹其識味也。委大聖而好乎諸子者，惡睹其識道也」。（吾子篇）

(二)虞夏之書渾渾爾（深大），商書灝灝爾（夷曠）、周書噩噩爾（不阿借）。下周者其書譙乎（酷烈）。（同上）

(三)或問聖人之經不可使易知歟！曰，不可。天俄（俄頃）而可度，則其覆物也淺矣。地俄而可測，則其載物也薄矣。大哉天地之爲萬物郭，五經之爲衆說郛。（問神篇）

(四)書不經，非書也。言不經，非言也。言書不經，多多贅矣。（同上）

(五)或問經之艱易（孰艱孰易），曰，存亡（指經之存亡）。或人不諭。曰，其人（司馬光以「人」當作「文」）存則易，亡則艱。延陵季子之於樂也，其庶矣乎！如樂弛，雖札莫如之何矣…」。（同上）

(六)或問五經有辯乎？曰惟五經爲辯。說天者莫辯乎易，說事者莫辯乎書，說體者（體，行爲的合理形式）莫辯乎禮，說志者莫辯乎詩，說理者莫辯乎春秋。捨斯，辯亦小矣。（寡見篇）

(七)或問天地簡易，而聖人法之，何五經之支離？曰，支離蓋其所以爲簡易也。已簡已易，焉支焉離？（同上）

(八)或問泰和？曰，其在唐、虞、成周乎！觀書及詩，溫溫乎，其和可知也。（孝至篇）

(九)周康之時，頌聲作乎下，關雎作乎上，習治也。齊、桓之時縕（亂），而春秋美邵陵（據公羊傳），習亂也。故習治，則傷始亂也。習亂，則好始治也。（同上）

(十)或曰，經可損益與？曰，易始八卦，而文王六十四，其益可知也。詩、書、禮、春秋，或因或作，而成於仲尼，其益可知也。故夫道非天然，應時而造者，損益可知也。（吾子篇）

上述的(五)我以爲是暗指博士們不承認古文尚書，逸禮及左氏傳，在文獻上抱殘守缺，所以章句再繁，也愈講愈糊塗。他的意思是認爲要經學容易爲人接受，首須在文獻上求完備。(九)是說經的興起與時代的關係；因此而有(十)的「經可損益」，損益是隨時代的發展而發展的結果。就文獻上說，只應有益而無損，所以下文都說的是益；就內容與時代的適應性來說，則當然應有所益，也應有所損。這段話，不僅是爲他自己造太玄以擬易作辯護，也反應出他對學術的發展史觀。(二)與(八)是他讀詩與書時所得的「統一地感覺」；(七)可以說是他所提出的治經的方法。「支離」是指意旨之繁。他的意思是由意旨之繁中得出簡易之歸，這種簡單是有涵蓋性有條貫性，有眞實內容的；一下手卽求簡易，便成爲掛空之論。他正式提出經學意義的是㈠、㈢、㈣、㈥、四項，而以㈠最爲重要。了解了㈠的意思，其他三項也自然了解。

首先，揚雄把五經比爲東嶽、滄海，把諸子比爲衆山、介丘、江河、枯澤，因而說出㈢的「五經之爲衆說郛」，這是不是一種誇大？但只要想到五經是長期的古代文化，經過批判、選擇、集結而成，便知道揚氏的比喻決非誇大。有那一位作家，在內容與形式上，能與一部詩經相比；有那一人的政治論說，能與一部書經的深醇與規模相比；易是人更三聖，世歷三古而成；揚雄以太玄擬易，我相信他自己也知道太玄決不能及易；禮、樂更是由長期積累而來，不能成於任何一人之手。春秋以三傳爲羽翼，「其指數千」，諸子固然望塵莫及，後人在編纂上雖有發展、進步，但在「其旨數千」的這一點上又誰能及春秋。諸子乃以一個人一個人爲單位；一個人的經驗與智慧，如何能與積累唐、虞、三代以下逮春秋時代的經驗與智慧相比。所以五經可以孕育、範圍（郛）諸子百家；而諸子百家中的任何一子一家，決不能孕育範圍五經，這是一種事實。劉彥和文心雕龍宗經篇：「百家騰躍，終入環內」，正是「五經之爲衆說郛」的另一表現。

㈠的以「常珍」比五經中的大聖，以「異饌」比諸子；在與前引的比譬互相對照之下，不能不承認揚氏所把握到的經義的深純。「常珍」，是尋常所需要而又尋常可以得到的珍貴食物，如菽粟鷄豚之類。「異饌」是「非常時」所需要而也只在非常情形下能得到的異味，如今日的所謂「山珍海錯」。人的生命持續，是靠常珍而不是靠異饌；常珍有利而無弊，異饌有利亦有弊。五經中的詩，是直接發抒性情，更經過詩教的反省的，所以這是與正常生活連結在一起，得性情之正，亦卽詩序所謂「發乎情，止乎禮義」。禮樂都是「人情因而爲之節」，而爲之宣洩的；周代禮樂依詩而行，所以禮樂的究極意義，也是得性情之正。書、易、春秋中所含的義旨，都由實踐的反省，由經驗的反省而出，都可以說是順人的性情之正以教人，也爲性情之正以教人，也爲性情之正的人所能知，所能行的。匡衡對這種情形，便以「使不蔽於其本性」一語加以概括，而揚氏則比譬之爲「常珍」。用另一語句來表達五經中大聖之道，都是匹夫匹婦可以「與知」「能行」的中庸之道；它之所以能流注於二千餘年中，其本身本質，幾乎可以說是有益而無害的原因在此。諸子之言，常由性情之所激，思惟之所推演，而發爲偏至奇特之言，以快一時之意，其光采常掩五經之教而上之，這不能不說是一種思想學術上的成就，而且也是寶貴的成就。但剋就政治社會人生的實踐上說，則諸子只是異饌，而五經中大聖之道則是常珍；人爲了基本生存，不能離開常珍，而異饌則在可有可無之列。揚氏的話，有總結西漢所把握到的經義的重大意義。

5. 經學意義在漢代的回顧

由文帝命博士們纂定王制起，經武帝立五經博士，設博士弟子員，開儒生正規進入仕途之路，經義在政治思想上居於總攬專斷的地位。但這是僅就思想上說。若就現實上說，則西漢乃至兩漢的政治，是以皇權專制爲政體，以刑罰爲運行的骨幹，爲政治的基底；以儒家之教爲思想的綱維，爲政治的面貌。這也卽是宣帝所謂「王霸並用」。徹底是霸，生民之道必窮。徹底是王，專制的政體必變。兩者的矛盾對立，由專制的皇帝或皇帝所信任的外戚宦官加以統一，加以制衡；統一、制衡的輕重，關係於統一、制衡者的品格、智慧。但卽在儒教對政治影響最微弱時，也必賴與儒教相暗合的若干政令以維持安定，有如西漢開國之初。卽在儒教聲勢最盛時，也不能動搖構成專制政治的基底，更不能觸及皇權專制政體的自身，有如元、成時代。我們可由此以了解西漢乃至兩漢的政治局勢，更可由此了解兩千年中以經學爲中心的儒家思想在現實政治中所處的地位。

以五經加上論語、孝經，作爲政治思想的綱維，除孝經可能係劉室特加提出（注一三〇）而爲儒生所承認者外，餘均爲儒生在社會上作了數十年的努力，乃收其效於董仲舒、公孫弘。大帝國的政治運行，若沒有思想上的綱維，勢必陷於迷失混亂。曹參受蓋公影響，以黃、老爲思想上的綱維，但道家消極的態度，尤其缺乏人倫的建構，事實上不能解決面對的重大問題，結果便完全墜入於「執法之吏」的手上。要有思想上的綱維，在近代民主憲法未出現以前，也只有五經、論語有此資格。第一、五經及論語，在政治的基本立足點，是一切爲了人民。政治設施的一切歸宿，都是爲了人民。並且都是以人民自身固有之道以治人民的，此即中庸之所謂「以人治人」。第二、五經是古代政治文化的總結。在此一總結中，政治社會人生的視野，較任何一家之說來得廣濶；因此也可以容納任何一家而不加排斥。並且是非利害，成敗興亡的教訓，表現得明顯而正常。第三、五經論語有一共同趨向，即是政治上要求有言論自由，此即所謂「受言」「納諫」。這一點在專制政體之下非常重要，也非常困難。此後二千年中的忠臣義士，常從這種地方得到鼓勵，也得到低度的保障。第四、在五經、論語中誘導出教育思想，孕育出朝廷與社會的教育設施；要求以教育代替刑罰、減輕刑罰；這對人類運命也有極大的關係。雖然也有壞君壞人，假借經傳中的文句以濟其私，濟其惡；在兩漢中假借得最多的，詩的是「無德不報」，書是「車服以庸」，常被假借去封贈佞幸宦戚之德；而被假借得最毒的是公羊傳的「人臣無將，將而死」，被假借去以興起大獄，慘殺無辜。但這究竟是極少數；而且專制者本可以無所不假借。總的說，我們不能不承認在政治結構的矛盾中，減輕了專制的毒害，發生了良好的作用。不過隨科舉制度的興起，因儒生的人格與知識，直接受到功名利祿的破壞，而經學及論、孟之書，也日益形骸化，痲木化，也卽是今日所說的八股化，它所能發生的作用愈來愈小，便不能不作歷史上的交替，而退居於思想史的地位了。但要恢復民族的活力，便必須恢復歷史文化的活力。要恢復歷史文化的活力，便對塑造歷史文化的基型，推動文化的基線的經學，應當重新加以反省，加以把握。

附注

注一：論語顏淵：「子曰，博學於文，約之以禮，亦可以弗畔矣夫」。

注二：諸子百家中，道家反對博學。墨子個人博學而不以博學爲教。韓非亦個人博學，卻反對學問。縱橫家限於口辯之資。陰陽家特尙想像推演之術。以博學立教，因而形成學風，傳流的，唯有孔子及其後學。論語除上引一條外，子罕「顏淵喟然嘆曰，……夫子循循然善誘人。博我以文，約之以禮」。「達巷黨人曰，大哉孔子，博學而無所成名」。子張「子夏曰，博學而篤志」。中庸「博學之」。孟子離婁下「孟子曰，博學而詳說之」。荀子勸學篇「君子博學而日參省乎身，則知明而行無過矣」。禮記曲禮上，「博聞強識而讓」。儒行「博學以知服」。內則「博學無方」，「博學不教」。

注三：論語學而篇。

注四：士的性格的演進，我在兩漢思想史卷一「封建政治社會的崩潰及典型專制政治之成立」一文中，有較詳的討論。具見於此書頁八六—九二。

注　五：論語子罕、顏淵、爲政。

注　六：史記循吏列傳「公儀休者，魯博士也」。據孟子告子下載淳于髡曰「魯繆公之時，公子儀休爲政，子柳、子思爲臣」。趙岐以爲公儀休與子思同時。

注　七：胡秉虔漢西京博士考一「案宋至偃始稱王，卽爲齊、魏、楚所滅。以前祇有平公之子佐，謚元公，以魯昭公十年立，二十五年薨。但春秋傳未見有博士之稱。此傳宋元王，當是宋王偃之誤。宋王偃或亦稱宋偃王」。按胡說是。以博士成立之文化背景言，不可能先出現於宋。

注　八：見王著觀堂集林卷四漢魏博士考（世界書局版）。

注　九：史記始皇本紀「始皇置酒咸陽宮，博士七十人前爲壽」。又「侯生、盧生相與謀曰，博士雖七十人，特備員不用」。封禪書「始皇帝卽帝位三年，巡郡縣……祀鄒嶧山，頌秦功業。於是徵從齊、魯之儒生博士七十人至乎泰山下」。

注　十：續漢書百官志：「博士十四人，比六百石」。本注「本四百石，宣帝增秩」。按本注說不足信。

注十一：史記孔子世家「孔鮒爲陳涉博士，死於陳下」。史記儒林列傳「於是孔甲爲陳涉博士，卒與涉俱死」。徐廣曰「孔鮒，孔子八世孫，名鮒字甲」。

注十二：見史記叔孫通列傳。

注十三：史記孔子世家「孔鮒弟子襄爲孝惠皇帝博士」。又見漢書孔光傳。

注十四：唐六典二十一注引應劭漢官儀「文帝博士七十餘人，爲待詔博士」。

注十五：漢書董仲舒傳：「孝景時爲博士」。儒林傳：轅固「孝景時爲博士」，又胡毋生「爲景帝博士」。按「生」乃先生之生。

注十六：見孫星衍校集衞宏漢舊儀補遺卷上。

注十七：可參閱陳樹鏞漢官答問卷二太常條下。雖其所舉者多爲立五經博士以後之例，但乃繼承博士之傳統而來。

注十八：見史記封禪書。

注十九：以上皆見史記儒林列傳。

注二〇：見漢書楚元王交傳。

注廿一：據王國維「案北宋景祐、南宋嘉定本皆作「一經」；何焯校宋本作「五經」。案此乃後人不明一經之義而妄改。

注廿二：見王氏漢書補注（以後簡稱「補注」），但王氏在董仲舒傳「今臨政而願治，七十餘歲矣」下，又主張爲元光元年。不知王氏何以自相矛盾。

注廿三：觀堂集林四漢魏博士考。

注廿四：按史記封禪書「而使博士諸生刺六經中作王制」。

注廿五：漢西京博士考：「困學紀聞云：晉灼曰，西京無太學。公孫弘曰，請因舊官（館）而興焉。其肄業之地，則太常也；傳授之師，則五經博士也。然三輔黃圖，漢太學在長安西北七里。又何武歌太學下，王咸擧幡太學下，則有太學矣」。

注廿六：漢書成帝紀陽朔二年秋詔中語。

注廿七：漢書儒林傳贊。

注廿八：緯與博士的今文學有密切關係。

注廿九：請參閱拙著「先漢經學的形成」一文中「十、五經六藝的成立」。

注三〇：朱著收入「惜陰軒叢書」中。據李錫齡序謂「授經圖之名，創始於宋人程具。至後李燾有五經傳授圖一卷，亡名氏有授經圖三卷，俱見宋史，惜其書不傳。宗正（朱睦㮮爲周藩宗正）是編，因章氏山堂考索中舊圖，重加釐正。」按洪亮吉有傳經表，通經表，繁蕪紕謬，無可取。

注卅一：今儒林傳本文爲「臨代五鹿充宗君孟爲少府」。劉奉世、沈欽韓皆以「代」當爲「授」，考證明確可據。

注卅二：漢書七十五京房傳「延壽字贛。贛貧賤，以好學得幸梁王，王共（供）其資用，令極意學。既成，爲郡史，以察擧，補小黃令，以候司（伺）先知奸邪，盜賊不得發。愛養吏民，化行縣中。擧最當遷，三老官屬上書願留贛，有詔許增秩留。卒於小黃。贛常曰，得我道以亡身者必京生也」。

注卅三：「師古曰，黨讀曰儻」，則屬下句，而下句成爲不定之詞。補注王先謙引「惠棟云，按文義當以黨字屬上句；異黨猶言異類也。錢大昕云，荀紀以黨字截句」。按顏、惠說皆非是。荀悅漢紀卷二十五所錄，因删節而失讀。京氏易元帝時已立博士，劉向僅可以其偏黨於焦延壽，殆不能逕斥之爲異黨。且如此，則與下句不相啣接。

注卅四：賈誼新書卷六容經引易乾卦上九，初九，並加以解釋。春秋引「易曰鶴鳴在陰，其子和之」卷十胎教雜事「易曰，正其本而萬事理。失之毫釐，差以千里」。

注卅五：胡秉虔在漢西京博士考中謂「宣帝何自而聞（聞孟喜改師法），賀方爲少府，貴幸故也」。其說可信。

注卅六：見拙著「兩漢思想史」卷二頁四八〇—四八三。

注卅七：隋書經籍志（以後簡稱「隋志」）著錄有孟喜易章句八卷，早亡。此由唐晏兩漢三國學案卷之一頁十七轉引。

注卅八：請參閱拙著「周官成立之時代及其思想性格」頁三一—三五。

注卅九：易乾卦初九爻象，坤初六爻象，泰、否兩卦彖傳，言及陰陽；然此疑係後學所竄改。否則何以此外皆未言及？

注四〇：請參閱拙著「兩漢思想史」卷二「呂氏春秋及其對漢代學術與政治的影響」一文。

注四一：顏師古：「中者天子之書也。書言中，以別於外耳」。

注四二：後漢書卷二十六伏湛列傳「九世祖勝，字子賤，所謂濟南伏生者也」。

注四三：此文收入「兩漢思想史」卷二，此處所引者見頁一二三。

注四四：尚書之尚字，是誰所加，亦有數說。經典釋文敍錄依僞孔序文「以上古之書，謂之尚書」。鄭玄依書緯謂爲孔子「尊而命之曰尚書。尚者上也，蓋言若天書然」。王肅謂「上所言，下爲史所書，故曰尚書」尚書正義「此文繼在伏生之下，則知尚字乃伏生所加」。按先秦及漢初援引僅稱書而未有稱尚書者。則「尙」字可能爲伏生系統之儒生所加。

注四五：馬融書序「泰誓後得，案其文似淺露……」。左襄三十一年正義引王肅亦謂「泰誓近得，非其本經」。

注四六：尚書大傳，至宋已殘，至明遂佚。清有數種輯本。此據四部叢刊陳壽祺尚書大傳定本。

注四七：見玉海卷三十七。

注四八：具見於拙著「周官成立之時代及其思想性格」一文。

注四九：見吳承仕經典釋文敍錄疏證。

注五〇：此在「先漢經學之形成」拙文中，有較詳細的說明。該文並提出泰誓乃秦博士所編入之推論。

注五一：漢書地理志「丞相張禹，使屬潁川朱贛，條其風俗，猶未宣究，故輯而論之」。是此部分出於成帝時之朱贛。

注五二：關於五行性質，由實用資材，演變而爲神秘性之五氣的歷程；我在「陰陽五行及其有關文獻的研究」一文中，有詳細的討論。此文收入「人性論史」「先秦篇」附錄二。

注五三：後漢書卷二十七杜林傳所記杜林得漆書古文一篇，蓋亦在古文尚書流佈之二十九篇之內，有如後人得一古抄本，故特爲愛惜。由此亦可反映出流佈之二十九篇，實已隸定爲今文本。

注五四：見經典釋文敍錄。

注五五：見吳著敍錄疏證。

注五六：見後漢書卷六十上本傳。

注五七：古文尚書逸書十六篇篇目，係據孔穎達尚書正義引鄭注書序。

注五八：見該書頁三八—三九，有較詳的陳述。

注五九：見周禮正義賈公彥疏「序周禮廢興」內所引。

注六〇：見拙著「周官成立之時代及其思想性格」一書附注五五，頁一九二。

注六一：禮記王制「王者巡狩，命太師陳詩以觀民風」。漢書食貨志「行人振木鐸徇於路以采詩，獻之太師，比其音律，以聞於天子。故曰，王者不窺戶牖而知天下」。公羊傳宣公十五年解詁「男年六十，女年五十，無子者，官衣食之，使之民間求詩。鄉移於邑，邑移於國，國以聞於天子」。全漢文卷四十劉歆與揚雄書云「詔聞三代周、秦，軒車使者，遒人使者，以歲八月巡路，采代語僮謠歌戲，欲得其最目」。按以上恐係漢人所承先秦傳說，而春秋三傳及國語，皆無此痕跡，難以論定。

注六二：陳喬樅魯詩遺說考敍。

注六三：同上。

注六四：同上。

注六五：武帝召申公議明堂時，申公年八十餘。以賢良徵轅固時，固「已九十餘」；此皆爲武帝初卽位不久事。故可推知轅固約年長申公十歲左右。

注六六：見陳喬樅魯詩遺說考敍。

注六七：見隋志。

注六八：「韓詩傳研究」拙文，收入「兩漢思想史」卷三。

注六九：隋志有韓詩二十二卷，薛氏章句。又有韓詩譜二卷。侯包韓詩翼要十卷。經典釋文間采毛、韓詩異同。是此時韓詩徵而未絕。較齊詩亡於魏，魯詩不過江東，猶爲幸運。

注七〇：此點我在拙文「漢代專制政治下的封建問題」一文中論之較詳。請參閱「兩漢思想史」卷一頁一八一—一九一。

注七一：見晏子春秋內篇諫上晏子諫第二引相鼠之詩項下「則虞按」。此外尙見晏子諫第九引桑柔詩之「則虞按」及諫下晏子諫第十九引文王之詩「則虞按」，與問下引蒸民之詩「則虞按」，皆持此說，頗可取。

注七一：經義考卷九十九(下同)引歐陽修「今考毛詩諸序，與孟子說詩多合」。引范處義謂「今觀春秋之褒貶，與詩序相應者蓋多有之」。「論語曰，周有大賚，善人是富……而與賚之序同。緇衣曰，長民者衣服不貳……紀禮者……蓋以爲夫子之言也，而與都人士之序同。孔叢子記夫子之讀詩曰，於周南召南，見周道所以盛也……（以下歷述二十詩）其言皆與今序同其義。又左氏傳載高克帥師，與淸人之序同，國語載正考甫，得商頌，與那之序同……公乃爲詩以遺王，名之曰鴟鴞，同於金縢……假樂之序曰，嘉成王也，經文初無嘉之一字，而子思中庸左氏傳皆以假樂爲嘉樂，豈嘗見今之詩序耶……」又引馬端臨駁朱熹屈序之說，尤爲深切。朱彝尊在引衆說後的按語中亦謂「稽之尚書儀禮左氏內外傳孟子，其說無不合」。

注七三：魏源齊魯韓毛異同論「考新唐書藝文志，韓詩二卷，卜商序，韓嬰注（按此可斷爲後人僞托）。而水經注引韓詩周南序曰，『其地在南郡南陽之間』（按南郡爲秦所設。若此語爲韓詩之序，則其序必在毛詩序之後）。至諸家所引韓詩，如『關雎，刺時也』。『廣漢，悅人也』等等，皆與毛詩首語一例（按此說可成立）。則韓有序明矣。齊詩最殘缺，而張楫魏人，習齊詩。其上林賦注曰『伐檀，刺賢者不遇明王也』，其爲齊詩之序明矣。（按與毛詩序不同；但難斷定其爲齊詩序）。劉向楚元王孫，世傳魯詩。其列女傳以芣苢爲蔡人妻作，汝墳爲周南大夫妻作等等，視毛序之空衍者，鑿鑿不誣（按此難成立）。且其息夫人傳曰『君子故序之於詩，（按序字非詩序之序）……而向所自著者，亦曰新序（按新序來自新語，新書，絕不同於詩序之序），是魯詩有序明矣」。按魏源之言多附會；但三家詩可能原有序。

注七四：詩譜序孔疏「漢世毛學不行，三家不見詩序，不知六篇亡失，謂其唯有三百五篇」。孔子世家云「取其可施於禮義者三百五篇」。漢書儒林傳，王式亦稱「三百五篇」。漢志亦言孔子所採取者爲三百五篇。則三家詩縱有序，而無六亡詩之序，是可以斷言的。六亡詩，蓋因詩亡而序亦早亡。

注七五：按此處之所謂大序、小序，與今日流行之說法不同。此處以序之首句爲大序，首句以次者爲小序。與流行之說法正相反。

注七六：見吳承仕經典釋文敍錄疏證頁六七。

注七七：博士統緒的經學，經漢建安時代的大紛擾及晉永嘉之亂，可以說大部分都斷滅了。

注七八：此點我在「原史」一文中解釋孟子「詩亡然後春秋作」一語時有較詳的說明。

注七九：齊風：雞鳴，還、著。秦風：蒹葭，晨風。陳風：衡門、東門。小雅：楚茨、信南山、甫田、大田、瞻彼洛矣、裳裳者華、桑扈、鴛鴦、頍弁、車牽、魚麗、采菽、黍苗、隰桑、瓠葉等。

注八〇：毛詩正義孔穎達引「關雎舊解云「三百一十一篇詩，並是作者自名」。王安石襲用此說，此乃以後人作詩情形推之古人，絕不可信。

注八一：萬斯同羣書辨疑詩序說中語。

注八二：此點我在「韓詩傳的研究」一文中有較詳的說明。此文收入「兩漢思想史」卷三。

注八三：孔子「刪詩之說」不可信，但可能曾作文字上之若干整理。墨子引詩，其文字與現行詩經中有異同處，多以現行詩經之文字爲勝，或可反映此點。

注八四：見論語。所謂「文學」，指典籍之學而言，非今日之所謂「文學」。

注八五：周禮正義「序周禮廢興」。

注八六：六藝論「河間獻王好學，其博士毛公善說詩，獻王號曰毛詩」。是「毛」字爲河間獻王所加。又有謂係小毛公所自加。然不如正義謂「毛字漢世加之」爲通達。

注八七：六藝論謂「漢書藝文志、儒林傳云，傳禮者十三家，唯高堂生及五傳弟子戴德、戴聖名在也」。五傳弟子謂高堂——蕭奮——孟卿——后倉——戴德、戴聖，則鄭君固以蕭奮爲高堂生弟子（以上見吳承仕經典釋文敍錄疏證頁七四）。但此非確證，故以虛線表之。蕭奮亦可能爲徐氏弟子。

注八八：史記索隱「謝承云，秦氏季代有魯人高堂伯」，則伯是其字。

注八九：拙著「周官成立之時代及其基本性格」一文，已於一九八〇年由臺北市學生學局出單行本。

注九〇：史記儒林列傳「於今獨有士禮」，漢志「魯高堂生傳士禮十七篇」，漢書儒林傳同。稱儀禮，始見於晉書荀崧傳。

注九一：請參閱吳承仕經典釋文敍錄疏證頁七三。

注九二：見儀禮冠禮後。

注九三：大戴哀公問於孔子，與小戴哀公問同；大戴禮察，與小戴經解頗同；大戴曾子大孝，與小戴祭義同；大戴諸侯釁廟，與小戴雜記同。投壺二記俱有，文亦略同。而大戴亡篇中，尚有禮器、祭法佚文。

注九四：此點我在「先秦儒家思想的轉折及天的哲學的完成」一文中，有較詳的說明。見「兩漢思想史」卷二頁二一七—三一九。

注九五：荀子大略篇「春秋賢穆公，以爲能變也」。楊注「公羊傳曰，秦伯使遂來聘。遂者何？秦大夫也。秦無大夫，此何以書？賢穆公也。何賢乎穆公？以爲能變也」。

注九六：此點我在「先秦儒家思想的轉折及天的哲學的完成」拙文中，有較詳的討論。見兩漢思想史卷二頁三一九—三二六。

注九七：請參閱「兩漢思想史」卷三頁二五一—二五二。

注九八：此處未言孔子與左丘明同往西觀周室；且下文亦僅言「魯君子左丘明」，未及其身份地位。至漢志則改爲「故與左丘明觀其史記」。至班固則在「左氏傳三十卷」下註「左丘明，魯太史」。至經典釋文敍錄則稱「乃與魯君子左丘明觀書於太史氏」。按孔子自衞返魯作春秋，不可能再赴周觀書於大史氏。且本係因魯史記而作，亦無事再赴周室。此乃史公推測之詞，而劉歆等加以附益。

注九九：此文收入「兩漢思想史」卷三。有關左氏傳的討論，請參閱頁二六一—二九〇。

注一〇〇：漢書三十六劉歆傳：「歆爲左丘明好惡與聖人同，親見夫子。而公羊、穀梁，在七十子後。傳聞之與親見之，其詳略不同。歆數以難向，向不能非間也。然猶自持其穀梁義」。

注一〇一：此文收入「兩漢思想史」卷二，此點見頁一一九—一二〇。

注一〇二：見吳著經典釋文敍錄疏證頁一〇八。

注一〇三：見觀堂集林四漢魏博士考。

注一〇四：王充謂「孔教扶卿，始曰論語也」。謂孔安國得古論以授扶卿。

注一〇五：據經典釋文敍錄「魏吏部尚書何晏，集孔安國、包咸、周氏、馬融、鄭玄、陳羣、王肅、周生烈之說，並下己意，爲集解。正始中上之，盛行於世」。此有八人。因下文另提「孔注」，故謂七人。

注一〇六：隋志謂張禹「删其繁惑，除去問王知道二篇」。

注一〇七：補注引王應麟曰，「晁氏云，何休稱，子曰，吾志在春秋，行在孝經（本「孝經鈎命訣」），信斯言也，則孝經乃孔子自著……詳其文義，當是仲尼弟子所爲者」。

注一〇八：此文收入「中國思想史論集」。「僞孝經的出現」一節，見頁一七六—一八二。

注一〇九：漢書八宣帝紀，地節四年詔。

注一一〇：唐晏兩漢三國學案，即提倡此說。

注一一一：具見於拙著「劉向新序說苑的研究」一文，收入「兩漢思想史」卷三。

注一一二：見王充論衡正論篇。

注一一三：按周官己與書二十九篇編在一起，賈公彥「序周禮廢興」引馬融周官傳，言之甚爲著明。其來源只能推測為出於河間獻王所獻。我在「周官成立之時代及其思想性格」一書中，作了詳細的討論。

注一一四：見皮著經學歷史一書中「經學昌明時代」。中華書局印行，周予同注釋本，頁八一。

注一一五：後漢書杜林列傳「皆長於古學」。鄭興列傳「興好古學」。鄭玄列傳「古學遂明」皆是。

注一一六：皆見後漢書各本傳。

注一一七：我有「漢初的啓蒙思想家——陸賈」專文，收在「兩漢思想史」卷二，可以參閱。

注一一八：此文收在「兩漢思想史」卷二。關於禮的部份見頁一三九—一五二。經的部份，見頁一五七—一七〇，可以參閱。

注一一九：我有「淮南子與劉安的時代」專文，收入「兩漢思想史」卷二。對此有較詳細的討論。

注一二〇：以上皆見漢書五六董仲舒傳。

注一二一：此文收入「兩漢思想史」卷二，有關董氏春秋學的部分，見頁三二九—三七〇。

注一二二：此點在收入「兩漢思想」史卷三論史記一文中有較詳的敍述。有關此點的敍述，見頁三二〇—三二一。

注一二三：請參閱「論史記」一文，有關此點的討論見頁三六一—三六八。

注一二四：漢書九元帝紀宣帝告元帝為太子時語。

注一二五：見漢書七四魏相傳。

注一二六：古文苑四。

注一二七：由此可以反映出趙岐謂文帝立一經（詩經）博士及傳記博士之可信。

注一二八：漢書七十五蓋寬饒傳「又引韓氏易傳言五帝官天下，三王家天下。家以傳子，官以傳賢。若四時之運，功成者去。不得其人，則不居其位。書奏，……遂下寬饒吏，寬饒引佩刀自剄北闕下，衆莫不憐之」。

注一二九：漢書八十一張禹傳，成帝時，「吏民多上書言災異之應，譏切王氏專政所致」。成帝憂問張禹，禹答以「災變之異，深遠難見。故聖人罕言命，不語怪神。性與天道，自子貢之屬不得聞。何況淺見鄙儒之所言」。他說這段話的動機，雖因「年老子孫弱」，恐爲王氏所怨，但在學術上也需有此一轉機，以恢復經義的本來面目。

注一三〇：漢書六十八霍光傳，田延年謂「漢之傳世，常爲孝者（有如孝惠、孝文等皆加一「孝」字），以長有天下，令宗廟血食也」。可知以同姓諸侯王取代異姓諸侯王，即特別重視孝，因而特別重視孝經，極有此可能。

附錄

有關春秋左氏傳的補充材料

（由原史一文中摘出略去附注）

一、春秋左氏傳若干糾葛的澄清

漢武帝由董仲舒之建議，立五經博士，春秋立公羊，至宣帝加立穀梁後，博士對左氏傳的全力排擯，乃必然之勢。劉歆讓太常博士書中有謂「猶欲抱殘守缺，挾恐見破之私意，而無從善服義之公心。或懷妬嫉，不考情實，雷同相從，隨聲是非，抑此三學，以尙書爲備，謂左氏不傳春秋，豈不哀哉」。「抱殘守缺」，是指拒斥古文尙書多出的十六篇及逸禮多出的三十九篇而言。「挾恐見破之私意」，是指拒斥春秋左氏傳而言。公、穀雖有異同，然各可以空言自守。左氏傳則敷陳事實，「首尾通貫，學者得因是以考其是非」，而公、穀「其事出於閭巷所傳說，故多脫漏，甚或鄙倍失眞」。在左氏所敷陳的事實之前，公、穀所犯的錯誤，無遁形之餘地。所以博士們提出積極地口號「謂左氏不傳春秋」，以逃避由事實所表明的是非同異。消極的辦法是「深閉固距而不肯試，猥以不誦絕之」。這完全是無賴的方式。此種無賴的方式，經東漢范升之徒，以下迄清代劉逢祿的左氏春秋考證，斷定左傳本爲左氏春秋，與呂氏春秋等同一性質，與孔子之春秋無關。經劉歆附益改竄後，始稱爲左氏春秋傳。甚至說左氏只作國語，劉歆取國語以爲左氏傳。其出愈後而愈誕愈誣。章太炎著春秋左傳讀敍錄，對劉逢祿之說，逐條針鋒相對的駁正，雖其中間有辯其可不必辯，或擧證稍有問題，但大體上，已足澄清二千年之誣謬。章氏學力之表現，殆無過於此編。章氏在書中有一段話，可以轉用在許多人身上：

「烏乎，千載運往，游魂已寂。賴此曆譜，轉相證明，遺文未亡，析符復合。而逢祿守其蓬心，誣汙往哲，欲以卷石蔽遮泰山。逢祿復死，今欲起玆朽骸，往反徵詰，又不可得。後之君子，庶其無盲」。

由章氏已經澄清的許多謬說，此處不復涉及。至康有爲的新學僞經考，其誕妄實不足置辯。下面只提到章氏所未涉及，或涉及而未及詳論的若干問題。春秋左氏傳成立的情形，及其直接發生的影響，在史記十二諸侯年表序，有明確的敍述。

「是以孔子明王道，干七十餘君，莫能用。故西觀周室，論史記舊聞，興於魯而次春秋。上記隱，下至哀之獲麟，約其辭文，去其煩重，以制義法，王道備，人事浹。七十子之徒，口受其傳指，爲有所刺譏褒諱挹損之文辭，不可以書見也。魯君子左丘明懼弟子人人異端，各安其意，失其眞，故因孔子史記，具論其語，成左氏春秋。鐸椒爲楚威王傳，爲王不能盡觀春秋，采取成敗，卒四十章，爲鐸氏微。趙孝成王時，其相虞卿，上采春秋，下觀近勢，亦著八篇，爲虞氏春秋。呂不韋者，秦莊襄王相，亦上觀上古，刪拾春秋，集六國時事，以爲八覽、六論、十二紀，爲呂氏春秋。及如荀卿、孟子、公孫固、韓非之徒，各往往捃摭春秋之文以著書，不可勝紀。漢相張蒼歷譜五德；上大夫董仲舒推春秋義，頗著文焉。太史公曰，儒者斷其義；馳說者騁其辭，不務綜其終始；歷人取其年月；數家隆於神運；譜牒獨記世謚，其辭略；欲一觀諸要難。於是譜十二諸侯，自共和迄孔子，表見春秋、國語學者所譏盛衰大指，著於篇，爲成學治古文者要刪焉。

以下略加解釋。凡對史記下過一番工夫的人，應可以承認，史公所述史實，如有錯誤，乃來自他所根據的材料自身的錯誤，或編寫時的偶然疏忽；斷不會出之以隨意編造的手段。所以他特別強調「疑則傳疑」的態度。他由董仲舒承受公羊春秋，但未曾言及公羊傳成立的情形，因爲沒有這種材料。上文他說左丘明「因孔子史記，具論其語，成左氏春秋」的話，必有確鑿的根據。他說「魯君子左丘明」，沒有說左丘明是孔子的學生。班固在漢書藝文志「左氏傳三十卷」下注「左丘明，魯太史」，這是史公以後所出現的一種推測；但這是一種很合理的推測；因爲若不是魯太史，如何能利用得上這樣多的材料。並且於春秋經所未書者，能知其本爲魯史所有，僅因某種原因而爲孔子所不書，這不是一般人所能作到的。但史公則連此種推測也不曾加上去。至「左氏春秋」之與「春秋左氏傳」的稱名不同，亦猶史記儒林列傳及漢書儒林傳稱「公羊春秋」「穀梁春秋」，而漢書藝文志則稱公羊傳，穀梁傳的情形，完全是一樣的。劉逢祿們卻在此等地方來證明左氏不傳春秋，眞不知從何說起。史公在此處既明言「左丘明」，又言「左氏」，則左氏之爲左丘明，更何能有異說；而後人亦於此逞其胸臆，試問，在古代文獻中，何處可以發現明確之反證，其分量足以另立一說。簡朝亮謂「史記自叙云，左丘失明，厥有國語；蓋左丘，氏也。其稱左氏，省文也……或稱丘明，亦省文也，猶稱馬遷者，不稱司馬也。……唐書稱啖助說，以爲作春秋傳者非論語之左丘明，論語所引者，若古之人老彭也，集注從焉，失之矣。左氏長年，其傳書孔子卒後事者及知伯焉，亦如子夏逮魏文侯時爾」。論語中孔子稱引及其學生，如「子謂子賤，君子哉若人，尚德哉若人」，而啖助竟以稱引老彭爲一般之例。以爲凡被孔子所稱引者，必爲古人或先輩，可謂知二五而不知一十。章太炎謂「若夫左氏書魯悼公者，八十之年，未爲大耋，何知不親見夫子」。簡、章兩氏之言，可互相發明。

漢人常稱傳爲經，如易傳有時卽稱爲易；此種情形，可推及於戰國中期前後。所以史記中所用之

「春秋」一詞，有的指經文而言，有的指公羊傳而言，有的指左氏傳而言，全視其所引之內容而定。前引十二諸侯年表序中「七十子之徒，口受其傳指」，這是指公羊、穀梁諸傳而言。但值得注意的是：孔子作春秋時，對不便見之文字的旨意，司馬遷認爲是「七十子之徒」，都曾與聞的；這與公羊、穀梁的內容，及董仲舒所稱述者完全符合；徹底否定了兩傳的一線單傳的虛構歷史。序中「上大夫董仲舒推春秋義」的春秋，指的是公羊傳；「儒者斷其義」，也指的是公羊傳、穀梁傳。此外所言的春秋，如鐸椒的「爲王不能盡觀春秋」，虞卿的「上采春秋」，呂不韋的「刪拾春秋」；荀卿韓非之徒的「往往捃摭春秋之文以著書」，及他自己「表見春秋、國語，學者所譏盛衰大指著於篇」中的春秋，皆指的是左氏傳。自鐸椒以迄韓非，只採用左氏傳中的若干故事，以爲自己立說的張本，此卽所謂「馳說者騁其辭，不務綜其終始」。六國年表序「余於是因秦記踵春秋之後，起周元王，表六國時事，訖二世，凡二百七十年……」這裏所說的春秋，正指的是左氏傳；因爲他是以六國年表，緊承於左氏傳魯哀二十七年之後。吳太伯世家贊「太史公曰，……余讀春秋古文，乃知中國之虞，與荆蠻勾吳兄弟也」；按此指左僖五年宮之奇謂「太伯虞仲，太王之昭也」而言。則此處的「春秋古文」，亦必指左氏傳而言。歷書「周宣王二十六年閏三月，而春秋非之」下面，由「先王之正時也」到「事則不悖」一段話，全出於左文元年傳「於是閏三月，非禮也」下面的一段話。而經文對閏三月並無記載。則此處之所謂「春秋」，也當然指的是「左氏傳」。宋微子世家「八月庚申，穆公卒，兄宣公子與夷立，是爲殤公。君子聞之曰，宋宣公可謂知人矣」。正引的是隱三年左氏傳的「君子曰，宋宣公可謂知人矣」。乃康有爲們，竟謂「君子曰」等，皆劉歆所僞造。西漢人引公羊、穀梁，固稱爲春秋，漢初的新語、韓詩外傳、新書等，皆廣引左氏傳，有的亦稱爲春秋。其大量引左氏傳而不稱春秋者，經我的考查，僅有劉向的新序說苑。漢書劉歆傳謂「歆以爲左丘明好惡與聖人同，親見夫子。而公羊、穀梁，在七十子後。親聞之與親見之，其詳略不同。歆數以難向，向不能非間也。」歆之所以「數以難向」，正因向明習左氏，而不以其爲傳春秋。劉向之見，係受當時博士的影響。

稱左氏傳爲春秋，今日可以考見的，當始於韓非。韓非著書，徵引所及者，遍及詩、書及諸子百家的言論與雜記，也特受了孔子作春秋的影響。內儲說上「魯哀公問於仲尼曰，春秋之記曰，冬十二月賈霜不殺菽（當作草），何爲記此？仲尼對曰，此言可以殺而不殺也」。僖三十三年「隕霜不殺草，李梅實」。左氏無傳；公羊傳「何以書、記異也。何異爾，不時也」；這是釋「李梅實」的。惟穀梁傳對「隕霜不殺草」的解釋是「未可殺而殺，舉重也。可殺而不殺，舉輕也」。其意謂隕霜則可以殺；可以殺而不殺，故舉草（輕）以言其不當，此與韓非引孔子之言相合。又外儲說左上「宋襄與楚人戰於涿谷上」，其內容實係僖二十二年宋楚泓之戰；末謂「公傷股，三日而死」；按左氏及公羊，皆沒有把宋襄公之死，與泓之戰直接連記在一起，僅穀梁則連在一起；惟穀梁謂「七月而死」，與事實相爭；韓非謂「三日而死」，或係韓一時誤記，或係後人傳抄的錯誤。我懷疑此條韓非係兼取自左氏、穀梁兩傳。又說疑引「故周記曰，無尊妾而卑妻，無孽適子而尊小枝。無尊嬖臣而匹上卿，無尊大臣以擬其主也」數語，與穀梁僖九年傳「葵丘之會……明天子之禁曰，毋雍（壅）泉，無訖糴，勿易樹子，勿以妾爲妻，毋使婦人與國政」數語相似，疑係同一來源，或竟出自穀梁。穀梁傳對一事之不同解釋，常用「一曰」「或曰」，以並存其義，韓非子中亦常用此體；我懷疑韓非曾受穀梁傳的影響。而外儲說右上「子夏曰，春秋之記曰，臣殺君，子殺父者以十數矣，皆非一日之積也，有漸而以至矣」；此可信爲子夏闡述春秋之言。以上皆可證明韓非受春秋之影響；而所受影響最大者爲左氏傳。

我將韓非子全書引自左氏傳或出自左氏傳者約略統計一下，有二十三條之多；而最值得注意的是：姦劫弒臣篇楚王子圍「以其冠纓絞王而殺之」一條，引自左昭元年傳。崔杼弒齊君一條，引自左襄二十五年傳，毫無可疑之處。韓非對此兩條先作總挈的敘述說「故春秋記之曰」，這是韓非稱左氏傳爲春秋的鐵證。這也可見史公在史記中稱左氏傳爲春秋，其來有自。而十二諸侯年表序中「表見春秋、國語」的「春秋」指的是左氏傳，證以年表的內容，主要取自左氏傳及國語，更有何可疑？其所以兼及國語，不僅他認爲國語係左丘明晚年所著；且係他以「共和行政」，乃周室由盛而衰的大轉捩點；所以他的年表是自「共和迄孔子」。隱元年以前，上至共和的材料，爲孔子所未紀，卽爲左氏傳所無，他不能不取國語以補左氏傳之所缺。韓非子中，亦引有不少國語的材料，但決找不出稱國語爲春秋的痕跡。還有難四的「鄭伯將以高渠稱爲卿」條，係引自左桓十七年傳。其「君子曰，昭公知所惡矣」，卽左氏傳的「君子謂昭公知所惡矣」；由此可以證明左氏傳中的「君子曰」，爲原書所固有，以見康有爲認爲這是由劉歆所附益進去的說法，是如何的誕妄。

還有若干異說，不似今文家的誕妄，而係來自不以自己的歷史意識的自覺，去面對左氏這一偉大的歷史記載。首先是范寧春秋穀梁傳序謂「左氏艷而富，其失也巫」。汪中謂「左氏所書，不專人事。其別有五，曰天道，曰鬼神，曰災祥，曰卜筮，曰夢。其失也巫，其斯之謂歟」，於是汪中援引左氏傳中的記載，從而釋之曰「左氏之言天道，未嘗廢人事也」「左氏之言鬼神，未嘗廢人事也」「左氏之言災祥，未嘗廢人事也」。「左氏之言卜筮，未嘗廢人事也」。「左氏之言夢，未嘗廢人事也」。范寧及汪中，似乎皆以爲左氏傳中的言巫，言人事，皆出於左氏一人之撰述；而忘記春秋二百四十二年之間，正是原始宗教與人文精神，互相交錯乃至交替的時代；左氏只是把此一段歷史中交錯交替的現象，隨其在歷史上所發生的影響，而判別其輕重，如實的紀錄下來；言巫，乃歷史人物之言巫。言人事，乃歷史人物之言人事，與左氏個人的是非好惡，毫不相干，何緣作此批評，亦何勞作此爭辯。

又有以左氏傳所載預言之不驗者，作推定左氏著書年代的根據。顧亭林謂「昔人所言興亡禍福之故，不必盡驗。左氏但記其信而有徵者爾，而亦不盡信也。三良殉死，君子是以知秦之不復東征；至於孝公而天子致伯，諸侯畢賀，其後始皇遂併天下。季札聞齊風以爲國未可量，乃不久而篡於陳氏。聞鄭風以爲其先亡乎，而鄭至三家分晉之後始滅於韓。渾罕言姬在列諸侯者，蔡及曹、滕其先亡乎，而滕滅於宋王偃，在諸姬爲最後。僖三十一年，狄圍衞，衞遷於帝丘，卜曰三百年，而衞至秦二世元年始廢，曆四百二十一年。是左氏所記之言，亦不盡信也」。再加以左宣三年王孫滿謂「成王定鼎於郟鄏，卜世三十，卜年七百，天所命也」；而周至赧王末年「合得八百六十七年」。以此反駁劉歆僞造左氏之說，固極爲有力。若謂凡言之不驗者，爲著者所未及見，則其意謂已驗者，即作者所附益，此則斷無是理。劉知幾謂「尋諸左氏載諸大夫詞令，行人應答，其文典而美，其語博而奧；述往古則委曲如存；徵近代則循環可覆。必料其功厚薄，指意深淺，諒非經營草創，出自一時；琢磨潤色，獨成一手。斯蓋當時國史，已有成文，丘明但編而次之，配經稱傳而行也」。斯爲能得其實。

二、左氏「以史傳經」的重大意義與成就

過去對左氏傳價値的爭論，多集中在他是否係傳孔子所作的春秋這一點上。此在今日，沒有爭論的餘地。左氏之傳春秋，可分爲四種形式。第一種是以補春秋者傳春秋。如隱元年傳「夏四月，費伯帥師城郎。不書，非公命也。」「秋八月，紀人伐夷，夷不告，故不書。有蜚不爲災，亦不書」「冬十月庚申，改葬惠公，公弗臨，故不書。……衞公來會葬，不見公，亦不書」。「鄭人以王師虢師伐衞南鄙，請師於邾，邾子使私於公子豫，豫請往，公弗許，遂行。及邾人鄭人盟於翼。不書，非公命也」。「新作南門，不書，亦非公命也。」魯春秋有，而孔子所修之春秋沒有，左氏採魯春秋以補其缺，蓋對孔子所以不採用之故，加以解釋。第二種是以書法的解釋傳春秋。如隱元年十二月「衆父卒，公不與小斂，故不書日」。三年經「夏四月辛卯，君氏卒」。傳「夏君氏卒，聲子也。不赴於諸侯，不反哭於寢，不祔於姑，故不曰薨。不稱夫人，故不言葬，不書姓。爲公故，曰君氏」。這所釋的書法，到底是魯史相傳之舊呢？還是僅指孔子所修的春秋呢？我以爲是指孔子所因的魯史之舊。不過對這種舊的書法所含的意義，孔子或左氏有所發明。第三種，是以簡捷的判斷傳春秋。隱元年經「秋七月，天王使宰咺來歸惠公仲子之賵」傳「豫凶事，非禮也」。這或者是秉承孔子之意，以爲非

禮。或係左氏根據他所引的禮的準繩而認爲非禮。第四，是以「君子曰」的形式，發表自己的意見。這也是傳春秋的一種方式。此在左氏傳中，佔重要的地位。有時也特引孔子的話。上面四種「傳春秋」的形式，除第一種爲公、穀所無外，餘皆爲三傳所通有。惟左氏論「書法」，很少採用一字褒貶之說。說孔子以一字表現褒貶，這是公、穀最大的特色。左氏所用的四種傳經的形式，與公、穀所用的形式，皆可概稱之爲「以義傳經」。而左氏在四種以義傳經之外，更重要的則是「以史傳經」。以義傳經，是代歷史講話，或者說是孔子代歷史講話。以史傳經，則是讓歷史自己講話，並把孔子在歷史中所抽出的經驗教訓，還原到具體的歷史中，讓人知道孔子所講的根據。例如魯僖公二十二年經「冬十有一月己巳，宋公及楚人戰於泓，宋師敗績」。公羊對宋公恭維得「雖文王之戰亦不過也。」穀梁則罵宋公爲「何以爲人」。這兩個極端，到底誰合於歷史眞實，誰合於孔子本意？恐怕很難斷定。而左氏傳則祇紀錄「子魚曰，君未知戰」的一段話。使讀者可以感到宋公既不是如公羊所說的那樣好，也不是如穀梁所說的那樣壞；而是一個志大才疏，有點呆頭呆腦的人物。此之謂讓歷史自己講話，把都以爲是出於孔子的兩種極端意見，還原到歷史自身中去，使宋襄公保持他的歷史本來面目。若用現代語言來詮表，由公羊、穀梁所代表的，可以成爲一種歷史哲學，而左氏所兼用的以史傳經的方法，則除了含有歷史哲學的意味外，更重要的成就，是集古代千百年各國史學之大成的史學。例如一開始的隱公「元年春王正月」，公羊傳「王者孰謂，謂文王也。曷爲先言王而後言正月，王正月也。何言乎王正月，大一統也。」穀梁傳則謂「雖無事，必擧正月，謹始也」。這是將史實加以理論化。左氏傳則僅加一「周」字，成爲「元年春王周正月」，以表明此正月乃「周」所頒之正月。不言大一統的理論，而春秋是以周的正朔，統一二百四十二年的時間，由此一「周」字而可見。所用的是周正月，這是歷史事實，此之謂以史傳經。又對隱公不書卽位一事，公羊傳謂「公何以不言卽位，成公意也。何成乎公之意，公將平國而反之桓。曷爲反之桓，桓幼而貴，隱長而卑。其爲尊卑也微，國人莫知。隱長又賢，諸大夫扳隱而立之，隱於是焉而辭立，則未知桓之將必得立也？且如桓立，則恐大夫之不能相幼君也。故凡隱之立，爲桓立也。隱長又賢，何以不宜立？立適以長不以賢，立子以貴不以長。桓何以貴，母貴也。母貴則子何以貴，子以母貴，母以子貴。」綜公羊傳之意，對隱之「將平國而反之桓」，是合於當時宗法制度的。穀梁傳對此謂「何以不言卽位，成公志也。焉成之？言君之不取爲公也。君之不取爲公，何也？將以讓桓也。其惡桓何也？隱將讓而桓弑之，則桓惡矣。桓弑而隱讓，則隱善矣。善則其不正焉何也？春秋貴義而不貴惠，信道而不信邪。孝子揚父之美，不揚父之惡。先君之欲與桓，非正也，邪也。雖然，既勝其邪心以與隱矣，已探先君之邪志而遂以與桓，則是成父之惡也。兄弟，天倫也。爲子，受之父；爲諸侯，受之君。已廢天倫而忘君父，以行小惠，曰小道也。」若隱者，可謂輕千乘之國。蹈道則未也」。公羊、穀梁對隱的評價不同，顯係因爲站在兩種不同的基礎。公羊傳是站在宗法制度的基礎，以爲桓應當立，所以隱當先立而後讓。後起的穀梁傳已忘記了當時的宗法制度，而只認爲想立桓，乃出於「先君之邪志」。公羊傳寫了一百四十七字，寫出了宗法制度的原則，但桓何以隨母而貴，眞象仍然不明。穀梁傳寫了二百一十二字；提出了春秋貴義不貴惠的原則，但何以知道隱的先君「既勝其邪心以與隱矣」，終古也猜想不透。並且孔子對此事的眞正看法，誰能由此兩傳而得出正確地結論？左氏傳對此，則僅寫上「不書卽位，攝也」六個字，這六個字是史實而不是理論。但在經文的前面，寫了「惠公元妃孟子。孟子卒，繼室以聲子，生隱公。宋武公生仲子；仲子生而有文在其手，曰爲魯夫人，故仲子歸於我，生桓公而惠公薨，是以隱公立而奉之」的五十八字，由此而隱之爲攝，經之所以不書卽位，使人得到明白的了解。此之謂以史傳經。杜預春秋左氏傳序謂「左丘明受經於仲尼，以爲經者不刊之書也。故傳或先經以始事，或後經以終義，或依經以辯理，或錯經以合異，隨義而發」；其中除「依經以辯義」，指的是以義傳經外，其餘皆說的是以史傳經的情形。不僅以史傳經，爲公、穀所無。並且立足於史所得的判斷，與立足於一字褒貶的經所得的判斷，也常顯出兩種不同的性格。例如隱元年經「夏五月，鄭伯克段於鄢」，公羊傳「克之者何，殺之也。殺之則曷爲謂之克，大鄭伯之惡也。曷爲大鄭伯之惡？母欲立，已殺之，如勿與而已矣。段者何？鄭伯之弟也。何以不稱弟，當國也。其地何，當國也」。穀梁傳「克者何？能也。何能也？能殺也。何以不言殺？見段之有徒衆也。段，鄭伯弟也。何以知其爲弟也？殺世子母弟目君。以其目君，知其爲弟也。段弟也，而弗謂弟；公子也，而弗謂公子，貶之也。段失子弟之道矣。賤段而甚鄭伯也。何甚乎鄭伯？甚鄭伯之處心積慮，成於殺也。于鄢，遠也。猶曰取之其母之懷中而殺之云爾，甚之也。然則爲鄭伯者宜奈何？緩追逸賊，親親之道也」。左氏傳則在對此事之經過，作完整而委曲的敍述後，「書曰，鄭伯克段于鄢。段不弟，故不言弟。如二君；故曰克。稱鄭伯，失教也。謂之鄭志。不言出奔，難之也」。證以隱十一年左氏傳的「莊公曰，寡人有弟，不能和協，使餬其口於四方」，則段之未被殺甚明。這不僅使公、穀兩傳對「克」的解釋，皆失掉了根據；而在左氏心目中，鄭莊公的罪惡，也不如公、穀兩傳誅責之甚。按諸事實經過的曲折，左氏責莊的失敎及鄭志，較合於情理之常。通括言之，左氏對人的罪責，多較公、穀爲寬。蓋公、穀只是順着一種理念推斷下去，而左氏則把歷史事實放在第一位；歷史決不是由某種理念演繹出來的，而是各種因素，在摻互錯綜中，有許多曲折的。只要承認了許多的曲折，便不容根據某種理念，下一往直前的評斷，其評斷自然歸於平實。董仲舒具有一種偉大人格。但因他的「天的哲學」的理念，遠超過了他的歷史意識；而公羊傳自身，亦缺少「歷史的意味」，遂使他憑公羊以逞臆說，擾亂了學術中所必不可少的求知的規律，緯書由他開其端，而清代反知識的今文學，都是言義而離開歷史的必然歸結。穀梁傳則始終停頓在夾雜鏁碎的狀態中，沒有發揮出眞正的影響力，以史傳經，使讀者對經文脫摸索之苦，免臆造之厄。其所表現之價值觀念，乃反映出生活在具體歷史中的價值觀念；少突出的精采，亦無誕妄的災禍。僅以「傳經」而言，三傳或亦可謂得失互見；但公羊、穀梁兩傳之得失，必待左氏傳而明。漢人謂爲「不傳春秋」，固然是誣妄的；將其與公羊、穀梁兩傳之傳經，視爲一類，而與之爭先後是非，也是不正確的。因爲左氏主要是採用了以史傳經的方法，因而發展出今日可以看到的一部偉大的史學著作——左氏傳，其意義實遠在傳經之上。傳經是闡述孔子一人之言；而著史則是闡發了二百四十二年的我們民族的集體生命，以構成我們整體文化中的一段生動而具體的形相，這是出自傳經，而決非傳經所能概括的意義。

國家圖書館出版品預行編目資料

中國經學史的基礎

徐復觀著. – 初版. – 臺北市：臺灣學生，2004[民 93]
面；公分

ISBN 978-957-15-0125-3 (平裝)

1. 經學 – 歷史

090.9

中國經學史的基礎

著作者：徐復觀
出版者：臺灣學生書局有限公司
發行人：楊雲龍
發行所：臺灣學生書局有限公司
臺北市和平東路一段七五巷十一號
郵政劃撥戶：〇〇〇二四六六八號
電話：（〇二）二三九二八一八五
傳真：（〇二）二三九二八一〇五
E-mail：student.book@msa.hinet.net
http://www.studentbook.com.tw

本書局登記證字號：行政院新聞局局版北市業字第玖捌壹號

印刷所：長欣印刷企業社
新北市中和區中正路九八八巷十七號
電話：（〇二）二二二六八八五三

定價：新臺幣二八〇元

一九八二年五月初版
二〇一六年五月五刷

09001

ISBN 978-957-15-0125-3 (平裝)

徐復觀教授著作表

1. 學術與政治之間（甲集）／一九五六年／中央書局（絕版）。
2. 學術與政治之間（乙集）／一九五七年／中央書局（絕版）。
3. 學術與政治之間（甲、乙集合刊）／一九八〇年／學生書局。
4. 中國思想史論集／一九五九年／中央書局（絕版）。
5. 中國思想史論集／一九六七年／學生書局。
6. 中國人性論史／先秦篇，一九六三年／中央書局（絕版）。
7. 中國人性論史／先秦篇／商務印書館。
8. 中國藝術精神／一九六六年／中央書局（絕版）。
9. 中國藝術精神／學生書局。
10. 公孫龍子講疏／一九六六年／學生書局。
11. 石濤之一研究／一九六八年／學生書局。
12. 徐復觀文錄（四冊）／一九七一年／環宇書局（絕版）。
13. 徐復觀文錄選粹／一九八〇年（係由四冊《文錄》中精選彙輯）／學生書局。
14. 徐復觀文存（收錄四冊《文錄》未選入《選粹》的文稿）一九九一年／學生書局新版。

15. 黃大癡兩山水長卷的眞僞問題／一九七七年／學生書局。
16. 中國文學論集／一九七四年／學生書局。
17. 兩漢思想史／卷一／一九七二年初版／香港新亞研究所出版，原書名《周秦漢政治社會結構之研究》／三版改名／一九七四年臺一版／學生書局。
18. 兩漢思想史／卷二／一九七六年／學生書局。
19. 兩漢思想史／卷三／一九七九年初版／學生書局。
20. 儒家政治思想與民主自由人權／一九七九年「八〇年代」初版，一九八八年學生書局收回刊行初版。
21. 周官成立之時代及其思想性格／一九八〇年初版／學生書局。
22. 徐復觀雜文集①論中共②看世局③記所思④憶往事（四冊）／一九八〇年四月初版　／時報公司。
23. 徐復觀雜文集·續集／一九八一年初版／時報公司。
24. 中國文學論集續篇／一九八一年初版／學生書局。
25. 中國思想史論集·續篇／一九八二年初版／時報公司。
26. 中國經學史的基礎／一九八二年初版／學生書局。
27. 論戰與譯述／一九八二年初版／志文出版社新潮文庫。
28. 徐復觀最後雜文集／一九八四年／時報公司。
29. 徐復觀教授紀念文集／一九八四年／時報公司。

30. 徐復觀先生紀念論文集／一九八六年／學生書局。

31. 徐復觀最後日記—無慚尺布裹頭歸／一九八七年／允晨叢刊。

32. 徐復觀家書精選／一九九三年／學生書局。

翻譯兩種

㈠詩的原理（萩原朔太朗原著）一九八八年／學生書局新版。

㈡中國人之思維方法（中村元著）一九九〇年／學生書局新版。

註：此為徐復觀教授最完整的著作年表。以上各書皆不斷有新版問世，可分別向印行書局、出版社購買。另有徐師書簡已着手編輯，不久當可付梓。至此，徐師著作大體賅備矣。

受業生

蕭欣義
陳淑女　謹識
曹永洋

一九九二年七月一日編訂